伦多之星皮克汉格顿

女英雄柳德米拉

克汉格顿在索瑞尔山

女英雄柳德米拉

质彬彬的沃尔德伦

卡罗斯·海斯卡克（美国）

羽

射神——西蒙·海耶

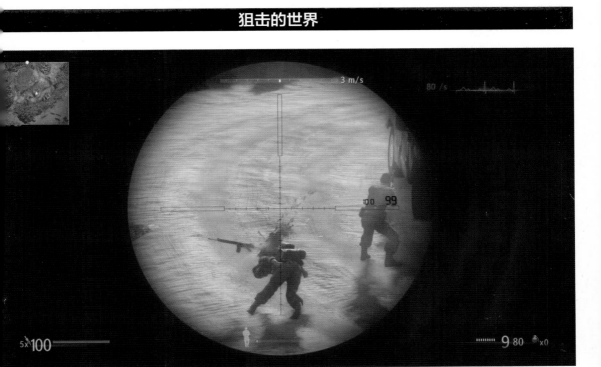

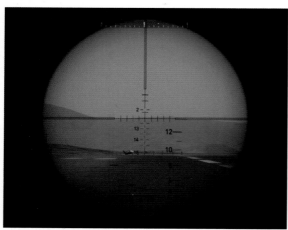

军事大视野丛书
LARGE VIEW OF MILITARY

狙击手传奇

赵渊 主编
斯琴 副主编

化学工业出版社
·北京·

本书介绍了狙击作战的起源、狙击手的选拔与训练过程、狙击手的作战技巧、狙击手必需装备、世界各国狙击步枪，此外，还选取介绍了多位享誉全球的知名狙击手的生平及作战经历。

本书图文并茂，内容引人入胜，可供广大军事爱好者和青少年读者阅读。

图书在版编目（CIP）数据

狙击手传奇/赵渊主编． —北京：化学工业出版社，
2013.1
（军事大视野丛书）
ISBN 978-7-122-16052-2

Ⅰ．①狙… Ⅱ．①赵… Ⅲ．①特种部队-介绍-世界
Ⅳ．①E156

中国版本图书馆CIP数据核字（2012）第303397号

责任编辑：徐　娟　　　　　　　　　　　封面设计：高兰英
责任校对：吴　静

出版发行：化学工业出版社（北京市东城区青年湖南街13号　邮政编码100011）
印　　装：化学工业出版社印刷厂
710mm×1000mm　1/16　印张9¹/₂　彩插4　字数168千字
2013年3月北京第1版第1次印刷

购书咨询：010-64518888（传真：010-64519686）
售后服务：010-64518899
网　　址：http://www.cip.com.cn
凡购买本书，如有缺损质量问题，本社销售中心负责调换。

定　　价：29.80元

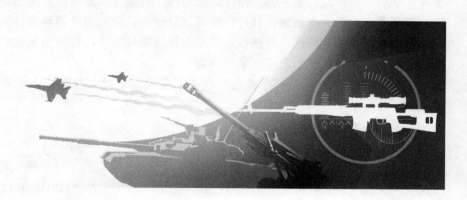

前　言

　　狙击手这个词是怎么来的？据传在18世纪70年代，驻扎在印度的英国士兵喜欢玩一种打猎游戏，就是猎杀一种叫鹬的敏捷的小鸟，这种小鸟在英语中被称为"Snipe"，因此这些士兵把擅长猎杀这些小鸟的士兵称之为"Sniper"。后来这个词成为专业狙击手的叫法。

　　其实无论是西方还是东方，很早就有狙击手出现。如特洛伊战争中阿喀琉斯被冷箭射中了脚而死掉；中国的楚汉战争中，项羽手下的大将被刘邦手下的大将楼烦射杀；《水浒传》中的神射手花荣箭法天下无双。这些人可以说都是当时的狙击手，当然并不是严格意义上的狙击手。

　　真正现代意义上的狙击手出现于第一次世界大战，而战争又使这些狙击手声名鹊起。最先使用狙击手的是德国人，德国为了在第一次世界大战中获得胜利，挑选了具有猎人和护林员背景的人组成狙击手团队，正是这个狙击手团队在东线和西线的战斗中，对英、法、俄造成了重大的伤亡。鉴于此，英国人在第一次世界大战结束后，成立了狙击手学校。发展到现在，各国无一例外都非常重视狙击手的培养，以应对当前日新月异的形势。他们总是在反恐、维护社会治安、保护国家和人民生命财产安全等方面做出贡献。

　　通常情况下，狙击手分为两类：一类是受过完整正规狙击训练的具有正规编制的狙击手，另一类则是在战时临时挑选的枪法准确的射手。他们的起源、选拔训练、装备、狙击步枪以及狙击战等无不具有神秘色彩，还想了解更多吗？翻开本书即可知晓。

　　参加本书编写的人员有王秀清、王崇文、王琳琳、支静、刘淼、刘慧芳、李卉、李瀚洋、佘磊、张玉磊、徐江、郑治伟、郭晓雷、章晴雨、吴超、霍红霞、李富栋、牛倩、李晓瑞、韩丹、斯琴、赵渊等，在所有选题确定、架构设计、资料查找、图片拣选、数据核定、文字锤炼等环节中，都渗透着他们的汗水与热情，在此谨向他们表示真挚的感谢！

　　鉴于编者水平有限，书中难免存在不妥和疏漏之处，肯请广大读者批评指正！

编　者
2012年12月

目 录

狙击手的装备

世界各国狙击步枪

世界著名狙击手

狙击手的起源

狙击手的文化和历史

　　作为一名狙击手，首先要了解狙击手的文化和历史。据《荷马史诗》记载早在公元前12世纪，在希腊半岛上发生了一场著名的战争——特洛伊战争。当希腊第一勇士阿喀琉斯在特洛伊城楼前耀武扬威时，不知道从哪里射来的一支箭正中他的脚踝，将其射杀。射出这一箭的是特洛伊的王子帕里斯，而这位箭无虚发的王子也没能逃过死亡的命运，他被希腊的一名神箭手菲罗克忒忒斯的毒箭射死。不管是帕里斯在暗处射杀了阿喀琉斯，还是神箭手菲罗克忒忒斯用毒箭射杀了帕里斯，都反映了古代狙击与反狙击雏形。从中我们可以看出，帕里斯说明狙击手的作战方式：从暗处射出冷箭、放冷枪，来射杀敌军的重要目标，对敌人的心理造成威胁，恐吓敌军。菲罗克忒忒斯射杀帕里斯说明：狙击手最大的敌人就是敌方的狙击手。

　　中国也有很多故事。据《史记》记载，后羿又称夷羿，是夏王朝东夷族有穷氏的首领，善于射箭。"后羿射日"只是人们对其的想象，连太阳都可以射下来，还有什么不可以的。从严格意义上讲，真正的狙击是从人类进入火器时代开始的。在当时已经出现了射击术和神射手词汇，但是还没有真正的狙击术。

狙击手的起源

在冷兵器时代，射箭是最有效的狙击方式，远距离隐蔽攻击，保证了自身的安全，而且成本低廉，可以回收再利用。对于箭手来说，要精确命中目标，和现代狙击手一样，既要考虑距离、风速，又要考虑温度、湿度的影响，可惜很难在史书里找到如此专业的记载，这与当时人的认识有很大关系，许多箭手能够在复杂的环境条件下射中目标，凭借的并不是多么科学的数据计算，而是多年实践积攒下来的经验。

中国古代弓箭　　　　　　　　　　　　　　中国弓箭

现代关于狙击手的起源，有三种说法。

第一种说法是，这个词源于1773年前后驻扎在印度的英国士兵的一种游戏，那里的士兵经常猎杀一种名叫鹬（Snipe）的敏捷的小鸟。由于这种鸟非常难于击中，因此长于此道的人被英语称为Sniper。Sniper也成为专业狙击手的正式叫法。

第二种说法是，在美国独立战争期间，美国野战军的夏普少校发现，子弹如果用鹿油包裹，不但能够方便装填，还能提高射程与精度。他带领一支独立机动的枪手队伍，以不可思议的远距离精确射击，射杀了许多英军高级军官，多次以极小的代价换得极大的胜利。于是人们将射击精准又冷静沉稳的射手称为夏普射手（Sharp

狙击手

Shooter)。在训练及作战中，夏普射手由于要长时间瞄准，所以常常头戴类似于今天特种部队戴的面罩以保证其集中精力。还有一种为Marksman，此词源于美国西部打靶比赛，人们竖一根木棍或木板当靶，在中间用红笔圈出一个圆点作为靶心，即为Mark，标记的意思，在这场比赛中获胜的人即为Markman，后来宣传变成为了Marksman。

第三种说法是，真正现代意义的狙击手这一名称最早来源于一战中。当时德军挑选士兵组成自由行动的狙击手，他们大多具有猎人和护林员的背景，对东、西两线的英法军队和俄军造成了重大杀伤。为此在战争末期，英军专门成立了狙击手学校以培养反狙击手人才。

Sniper应为狙击手之意，Sharp Shooter则为神枪手，Sniper为美军用词，Sharp Shooter为英军用词，而Marksman为精确射手之意。

当然关于狙击手这一名称的由来还有很多，这无疑都增加了人们对战争中这一神秘角色的好奇心。他们也许是战场上最令人恐惧的人物，可以说防无可防、避无可避，影片《兵临城下》就将狙击手之间的对决演绎到了极致。

Kar 98k毛瑟步枪

狙击手的使用

虽然狙击手的起源很早，但真正的大规模使用则是在一战期间。当时德国为了取得战争的胜利，把狙击手应用到各个战场。这同一战以前，德国光学工业的发展较快有很大的关系。光学产品装配到武器上，为德国发展狙击战提供了可靠的基础，特别是98型毛瑟枪被狙击手广泛使用，使德国军队在狙击方面占据领先地位。这些配备98型毛瑟枪的德国狙击手在战争中往往给敌对方军官、观察员、士兵造成致命的威胁。敌方的军官、观察员、士兵只要暴露在战壕外面，短短几秒钟就会被德国狙击手击毙。与此同时，协约国的狙击战术发展却非常缓慢，在德军狙击战术的压力之下，英国开始兴办狙击手学校，法国也开始着手狙击手的培养。美国这时派遣射手到英国的学校去学习，以便更好地了解未知的敌人，加上使用了Springfield M1903型步枪，他们的技术已经远远超过欧洲人。

狙击手的起源

Springfield M1903型步枪

二战期间，装备先进光学仪器的武器设备在德国军队中大量使用，狙击战法和狙击手也大量地在战争中使用。狙击手的训练、武器和服装的供应都受到极大重视并且得到了极大的改进。德军较好的狙击手基本都在东线服役。例如第三师著名的玛蒂亚斯·里则纳尔，他共枪杀了"经确认的"345名敌方军人。但是这个数字可能有夸大的成分，因为在德军中一名被击毙的死者要经过一名军官，一名副官或两名士兵证实，很有可能是他们重复统计了数字。在前线作战的纳粹党卫军中对狙击手特别关注，实行奖励制度，鼓励他们去枪杀更多的敌人。对于成绩突出的狙击手可以享受与纳粹高级领导人共度周末狩猎的殊荣。

英军以不寻常的速度做出了反映。重新设立了狙击学校，实行新的招募制度，在每个营内设立一个8人狙击小组。在挪威战役、北非战役中均采用了狙击作战。由于预料到欧洲战争的爆发，从1943年起英军开始加紧训练狙击手，提供精良的武器和伪装服，执行严格的教程和条令，并用于战争进行验证。

苏军拥有54160支1938年的莫辛纳甘1891-30型步枪，在狙击手训练方面也是位列前茅的。但是这也没有使它在1939～1940年冬季战争中免遭芬军重创。芬兰第34轻装步兵团的狙击手Simo Hayha（西蒙·海耶）在不到五天的时间内打死500多名苏军，他也是历来成绩最好的狙击手，在其国内享有盛名。这使得苏军更深刻地认识到了狙击手在防御战中的作用。

狙杀记录的保持者Simo Hayha
（西蒙·海耶）

从二战开始苏联就拥有优良的步枪和瞄准镜以及不同的伪装服，如类似英国的"傻瓜"伪装服。苏军则拥有令人生畏的射击手后备力量。利用莫辛纳甘1891-30型和SVT型口径为7.62毫米×54r的半自动步枪，苏军使轴心国在苏联的伤亡人数占总伤亡人

数的一半。据报道苏军著名的狙击手瓦西里·扎伊采夫共打死敌军280多人，但是还有其他一些狙击手超过了他，例如女狙击手柳德米拉·帕夫利琴科，她打死了经过核实的309名敌人。瓦西里还击毙了德国狙击学校的校长，号称"狙击王"的科宁斯。

美军使用Springfield M1903型步枪，上面带有放大12倍的Unertl瞄准镜。陆军则更喜欢使用装有放大2.5倍瞄准镜的新式Garand M1c半自动步枪，主要是因为其火力较强。海军陆战队模仿英国也开办了狙击手学校。在瓜达尔卡纳尔和塔拉瓦战役的初期，美军更加理解了狙击手的作用，战役中频繁使用了狙击手。

从此以后，狙击手被更多地在战争中使用，比如阿尔及利亚战争（1954～1962）、越南战争（1965～1975）、黎巴嫩战争（1976～1990）、格林纳达战争（1983）、巴拿马战争（1989）、海湾战争（1990～1991）等。

狙击手的任务

事实上，射击敌军人员一般只占狙击手任务的一小部分，敌军的车辆、直升机、通信设施与油槽、水塔等往往是更重要的狙击目标，这就更需要狙击手具备随机应变的能力。

理论上说，狙击手的射杀行动可分为软性与硬性两种。射击坦克装甲车的通信天线、车长的潜望镜与外挂油箱，使乘员下车查看，再进行射杀，属软性猎杀。硬性猎杀行动中，狙击手常常要与反坦克部队协调配合。先是狙击手以穿甲燃烧弹引燃坦克车的主动反应装甲块，等主动反应装甲块燃烧而丧失防御能力时，反坦克部队再以反坦克导弹将坦克击毁。狙击手有时也独立实施硬性射杀。以7.62毫米的半自动狙击枪狙击一架米-8直升机，射击其旋翼轴等外露且脆弱的部位，20发左右的子弹就能致之于死地。其他像通信基地、导弹发射基地、弹药库、油料库等，也都有可供狙击手发挥天才射击本领的薄弱环节，关键是看狙击手是否具有足够丰富的知识与经验。

狙击手的任务按照性质来分，有指定猎杀、随队观察、火力支持、巡逻狩猎、非硬性装备破坏与定点伏击几种，以下就各种任务性质分述如下。

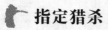

指定猎杀

指定猎杀指将上级所指定被狙击的目标以一切手段终结就算完成任务。狙

狙击手的起源

005

击手狙杀目标无论什么方法都可以，以步枪远程狙击只是其中的一种，十字弓、猎弓、吹箭、弩箭、飞刀甚至近身搏击、格斗、刀具、绞杀器或下毒都可以。身着伪装服以步枪狙击的远距离猎杀只是一般人对狙击手的印象，不过在军事性的任务中，远离目标的远程狙杀仍是大多数狙击手的选择，而大多数的训练也朝此种方向来施以训练，这里只介绍枪械狙击。

指定猎杀的执行方式有很多种，较常被采用的方法是狙击手潜行至目标所在基地或预期经过的道路上，以伏击的方式进行狙杀，而由于现代步枪的射程几乎都超过1000米以上，地点的选择、射击与后撤路线的安排经常是任务成功的关键，因此任务目标区的先行勘探与地点选定是相当重要的功课。虽然现代的卫星可以照到地球的每个角落，但在树木参天的密林与山谷暗处仍是以人员所侦察的第一手情报最可靠，而大多数的狙击手也宁可自行侦察而不愿依靠先进的卫星科技。

指定猎杀的任务可以1人执行，也适用于2人小组，1人观察1人狙击，或者2人同时狙击，或主射手未能成功时副射手再补一枪，当然副射手的枪法也必须是一流的，并且随时维持准备瞄准射击的状态。

随队观察及火力支持

在现代部队中狙击手被编制到班、排级等基层战斗单位。当小队在进行战斗巡逻任务，遭遇敌人远程火力（也许是重炮、迫击炮、重机枪或敌人的狙击手）攻击而又无法呼叫火力支援时，随队的狙击手便必须立即进行敌人火力观察的任务，并立即进入有利的射击位置狙杀具有最大威胁的敌人，并依序将敌方人员一一狙杀，而小部队则利用敌人遭狙杀、人人自顾不暇之际转移。一支步枪所能发挥的效果与远程炮兵的火力支援一样，这便是随队观察及火力支援。

但这仅是随队观察任务的一部分而已，随队狙击手最重要的任务是以狙击手的角度与眼光来看任务小队的所在位置是否容易遭受狙击，并随时检查各个可能藏有狙击手的角落，是否有敌人的狙击手潜伏，并在第一时间内解决敌人的狙击手。另外狙击手同时也是路线选定与脱逃专家，在受到伏击时，随队狙击手除了提供火力支援外，也必须在可能的情况下提供给小队指挥官最佳撤退路线建议，并全程提供火力支援与掩护，必要时狙击手将会单独行动执行狙击任务，迫使敌人暂缓追击小队的火力，给小队最大的空间，狙击手再依事先的

约定前往汇合点或自行完成指定任务。而大部分的狙击手由于长期的眼力训练与注意力训练，发现与拆除诡雷对很多狙击手而言并非难事，虽然很少是由狙击手进行拆弹工作，但是一旦任务需要时，狙击手应可轻松胜任。

巡逻狩猎

在许多情况下战地的形势经常是扑朔迷离的，既不知人、时、地、事物，也不知形势的发展与变化，为了确保形

美国M40狙击步枪

势对我方有利，猎杀敌人重要关键人员是一个釜底抽薪之计，而由于情报有限，任务目标指派会造成困扰，因此在指定区域进行自由猎杀便成为有效的作战模式，往往会收到奇效，这就是巡逻狩猎。倘若任务失败，损失的也不过是2名人员与其随身装备而已，但由于形势的变化往往出人意料，巡逻狩猎任务的执行时间往往不长，最多2周，以防任务的执行与局势的发展产生落差。

非硬性装备破坏

前面提到狙击手的任务往往不单纯是人员的狙杀，装备的破坏亦为重点项目，特别是对于机械化部队而言，7.62毫米口径的狙击步枪可使非强化装甲的一般车辆遭到致命性破坏。以常见的2.5吨载重卡车为例，直接射击水箱、轮胎会造成车辆无法行驶，但若直接射击油箱，则会使车辆产生爆炸，若车辆装载的是油料、弹药等高易燃性物质，则可造成更大的破坏。若是整队的坦克战车，当然无法以步枪完成任务，但若解决部分的战车车长也是有效果的，要诀是需由后向前格杀车长，根据经验，在45秒内即使是同车乘员亦无法判断出车长是否已经遭袭身亡，而前车更是如此，这段期间内被狙杀的车长也不只个位数了。若战车以紧闭舱盖方式前进，狙击手也可利用击毁通信天线或击爆车外副油箱的方式逼使车内人员离开车体后再一一狙杀。

对付武装直升机亦然。击毁其光电观测器就等于毁其耳目，而击毁其主旋翼与尾旋翼，则如同废其四肢；若是射击接近排气孔部位的变速齿轮箱与液压管亦会造成飞机失事坠机；射击火箭弹仓造成火箭内燃，使弹药在未脱离机身前爆炸，也是解决攻击直升机的方式之一。

通信车、基地等高精密仪器的破坏则更为简单，于电源车、冷却器、通信天线与精密电路、晶片所在位置随便一发子弹都可以使这些价值不菲的装备遭

到致命性破坏，其他像是油料堆放点、车辆调度场与弹药堆积所等地也可以用步枪加以破坏。以油料堆放点而言，首先以一发微声铅质软弹头击穿油桶但不使其爆炸，等油料外泄得到处都是后，再以一发高爆弹、燃烧弹或曳光弹加以引爆。破坏性狙击任务的执行要诀就是先知道要打什么，再决定用何种弹药射击什么部位，如果三个条件要素都具备，任务便不难达成了。

定点伏击

德国G3狙击步枪

由于狙击地点的所在位置必须考虑很多因素，寻之不易，一个好的狙击点不善加利用实在太可惜了，于是便有了定点伏击。定点伏击的要求很简单，在有效射距范围内，解决一切有价值的目标。在狙击目标选择上，则有一个狙击手们都知道的优先序列：

（1）敌方狙击手，会对狙击手造成威胁的便是敌方狙击手，敌方狙击手永远列为第一目标；

（2）高级指挥官；

（3）防空导弹、反坦克导弹操作员；

（4）重炮观测手、炮手、炮长、副炮长、轻重机枪射手与迫击炮炮长等长程攻击武器操作员；

（5）资深士官或士官长；

（6）枪榴弹兵、爆破小组与战地工兵。

除了这些优先顺序外，其余目标与执行的先后顺序则由狙击手自行决定，而其判定的标准是对我方威胁性较大者优先顺序越高，不但是人员，装备亦然，油料车与弹药车的优先顺序必然高于人员输送车，除非有战略上的考虑，但那已经不是狙击手的责任范围了。

狙击手的价值

德国国防军在二战中狙击手射杀记录第一名的是马蒂亚斯·海岑诺尔，他的记录为345次猎杀。他曾经表示，衡量一个狙击手的成功之处不在于他射杀

了多少人，而在于他能对敌人造成多大影响。狙击手如果能击毙敌军军官，往往能够挫败敌人的进攻。二战中，苏军充分认识到狙击手的战术价值并加以推广。在斯大林格勒战役中，苏军狙击手使德军部队产生了很大的恐惧心理，对于打击德军的士气起到了重要的作用。据统计，二战时平均每杀死一名士兵需要25发子弹；越战时平均每杀死一名士兵需20发子弹，然而同时期的一名狙击手却平均只需1.3发。

伪装的狙击手

　　狙击手并不仅仅只能影响某一场战争的发展，有时还可能改变历史的进程。在美国独立战争中，英国军队中的帕特里克·弗格森上校倡议建立和发展的狙击手被对手称为英国殖民军中最危险的部队。弗格森本人也是一位著名的狙击手，然而使他扬名的却是他那著名的"未开的一枪"。在宾夕法尼亚州的日耳曼城附近，当时弗格森在114米距离上瞄准了一名美军军官，由于这名军官转身离去，弗格森可能是因为绅士风度而没有向他后背开枪。他本来可以改变整个历史，因为被他瞄准的这个人正是领导美国独立的乔治·华盛顿。具有讽刺意味的是，弗格森本人却在1780年10月被美军的肯塔基步枪手在411米距离上打死，他的部队投降后，英军将领康华利将军被迫放弃了对北卡罗来纳州的进攻。与此相反的是，1777年10月7日，美军肯塔基步枪队中的一名狙击手墨菲在萨拉托加战役中击毙了率队侦察的英军将领西蒙·弗雷瑟将军。弗雷瑟的死直接影响了战局，导致英军将领约翰·伯格因的突围计划破产，萨拉托加战役由此成为美国独立战争的转折点。从某种意义上来说，狙击手墨菲射出了也许是人类历史上最有分量的一颗子弹。

　　如此凶猛强悍、全能多变的狙击手，他的克星是谁？答案很简单，对方的狙击手，只有对方的狙击手才可能是势均力敌的对手。因此，世界各国的狙击手都会谨记：同行是冤家，消灭敌方的狙击手，是自己的首要目标。

反狙击措施

　　狙击手同样也是广义上步兵的一员，其实狙击手和步兵的界限十分模糊，

美国tango 51型狙击步枪

差别仅在训练水平和所用枪械上。在以往的战争中，他们给敌我双方带来的伤亡或许是最少的，但是给敌我双方带来的心理压力却是最大的！对于受到狙击的部队来说，通常采用对可疑方位的火力压制来干扰狙击手的射击，同时迅速接近敌人，以寻找狙击手。寻找敌方狙击手的方法包括通过枪声、动植物的动态、子弹的射入角，甚至是猜测敌方可能采用的有利地形来判断。在有敌方狙击手活动的地方行动，最好把隐蔽和掩蔽工作做好，并祈求狙击手的第一枪千万别打在你的身上！当发现有己方人员遭受敌方狙击手袭击时，在开阔地带最好拼命快跑，迎着枪口或背对枪口就跑Z字路线，侧对枪口就采取时快时慢的跑法，直至找到最结实的掩蔽物躲藏起来。如果自己与狙击手距离较近或者对方的枪法很准，就别指望靠跑步避免被击中，最好一边跑一边向敌方狙击手的大致方向开火还击进行压制或扔发烟信号弹进行干扰。如果确认了敌方狙击手的确切位置，最好用机枪进行压制，因为机枪的有效射程与狙击步枪基本相近，在机枪的压制掩护下，让己方步兵靠近狙击手的藏匿地进行反击，或者以狙对狙，掩护己方的狙击手进行反狙击作战。在伊拉克对付反美武装的狙击手时，甚至会动用炮兵和飞机对狙击手的藏身地进行地毯式轰击。

1955～1956年，美国步兵训练学校成立了美国陆军射手训练营，这就是美军狙击手学校的前身。该校的训条主要包括：对付敌方狙击手的最佳方法是指派另一名训练有素的狙击手。对于狙击手的战术来说，发现目标是很重要的一环。猎杀对方的狙击手，有一种被称为SLLS的追踪方式，即停止（Stop），观察（Look），听（Listen），闻（Smell），其目的是时刻意识到可能会有人在监视你，而决不要轻易暴露自己。

一旦认定有敌方狙击手在驻地附近时，执行反狙击任务的狙击手就要搜集情报、研究地图或航拍照片，判断敌军狙击手的可能位置。他应该问自己：如果我是他，我会怎样完成任务？另外还可以引导地面侦察小组搜索敌人可能躲藏的位置，以及遗留的物品、脚印等。在反狙击行动中，狙击手还应该与指挥官协调任务区域内友邻部队的行动路线和火力布置，安排步兵分队或其他狙击小组提供支持或伏击敌方狙击手，并以饵引诱敌方狙击手开火，以暴露他的位置，例如用伪装服做一个假狙击手。

在执行反狙击任务时，狙击手必须忽视周围正在发生的战斗，他必须专注于自己眼前的敌方狙击手。另外在找出和消灭敌方狙击手前，己方部队应实施以下反狙击的措施：

伪装的狙击手

（1）不要固守日常活动的时间表，如进餐时间、弹药补给时间、各类集会或任何每天都进行的活动；

（2）所有的会议、简报或任何聚集人群的举动都必须在掩体内进行；

（3）遮盖或隐藏所有重要设备和补给品；

（4）摘去头盔和衣领上的军衔标志，不要向军官行礼，军官们也不应该凸显自己的领导形象；

（5）增加战场监视能力，如增加观察哨和巡逻队等；

（6）寻找不同的伪装材料等；

（7）当上述行动展开时，不要以狙击手的装扮出现；

（8）不要轻视任何女性，一个非正式统计认为，在许多第三世界国家中有5%的狙击手是女性。如果巡逻队或哨所发现一名女性携带着一支带瞄准镜的步枪，那她就是一个致命的对手。

狙击手的起源

狙击手的选拔与训练

狙击手的基本条件

伪装的狙击手

各国狙击手的选拔标准极为严格，要根据参选士兵的服役记录，从中挑选出具备成为专业狙击手或神枪手潜力的学员。狙击训练的辛苦程度是常人难以想象的，不但在学习阶段要完成繁重的训练课程，而且在毕业后成为一名真正的狙击手生涯中，都需要在训练和实战中不断提高。因此无论是军方的狙击手，还是警方的狙击手，都不是某一位指挥官或某一个单位来直接指定的，而是专门的训练机构从志愿者中挑选具备成为狙击手潜力的学员，只有那些具备优秀体能和很强学习能力的人，才可以承受严格的训练，成为一名狙击手或神枪手。

狙击手的基本选择条件如下。

（1）射击。狙击手必须是一名一等射手或特等射手，多次获得部队射击比赛优秀成绩的士兵，具备优秀的射击天赋。在美国，新兵在学校训练时都会有射击考核，并颁发勋章，这为其参加狙击手选拔训练提供条件。

伪装的狙击手

（2）身体状况。狙击手必须拥有健康强壮的身体，因为他们经常会在执行任务中缺乏基本的睡眠、食物和水，很少获得己方部队的支援。任务期间往往背负几十公斤的给养和武器装备长途跋涉到达任务区，在抵达任务区后，还要自行挖掘并建立狙击阵地，这是对狙击手体力的严峻考验。只有通过高强度的体能训练，才能培养出充沛的精力，以及反应敏捷的身手，因此学员本身也要是一个体育爱好者。

（3）视觉。好的视力是狙击手必备的基本条件，有好的视力可以有利于狙击手对目标的识别与观察。因此狙击手必须视力或矫正视力达到2.0/2.0。然而戴眼镜可能成为负担，为了防止眼镜丢失或损坏，所以狙击手在执行任务时，都会携带备用眼镜。患有色盲症也被认为是狙击手的不利因素，因为不能将融入在自然背景中隐藏的目标识别出来。

（4）吸烟。狙击手不应吸烟。吸烟者习惯性的咳嗽会暴露狙击手的位置，烟草在燃烧时的烟和吸烟者在吸烟后的烟味都会暴露狙击手的位置。即使一个狙击手在任务中不吸烟或者不用无烟烟草，烟瘾犯了，也会导致他紧张和烦躁，从而降低任务完成的效率。

（5）心理情况。狙击手必须是一名思想成熟稳重的士兵，性情急躁是狙击手性格上的大忌，缺乏耐心容易使狙击手做出不合时宜的事情，使任务失败甚至威胁到整个小组的安全。当指挥官在选拔狙击手时，会发现选手们是否有可以成为狙击手的特征。指挥官要确定选手是否可以在规定的时间和地点射击。可靠、果断、忠诚、自制力、思想稳定，就是指挥官要发现的成为狙击手的特征。

（6）学习能力。狙击手要顺利完成任务，就必须学习并掌握各种各样的技能。与普通士兵相比，为了应对狙击手训练课程里的各种理论性课程，选手本身要有较高的学历。另一方面来讲，高的学历可以证明一个人是否拥有一定的理论学习能力和对知识的渴望。作为一名狙击手，他需要掌握如下知识技能：

狙击手的选拔与训练

013

弹道学、弹药类型和功能、无线电设备的操作和程序、迫击炮和大炮的火力观察和操作、地面导航技能、军事情报收集和报告、对敌军伪装物和设备的鉴定等。

在狙击小组中，有时候狙击手需要一个人长时间潜伏，这对其心理和寂寞环境的忍耐度有很高的要求。狙击手需要拥有优秀的心理素质、判断力和警觉性。这就需要两个重要的条件：稳定的心理和野外生存能力。

狙击手必须沉着冷静，在敌方没有发现自己并威胁到己方安全之前，精确无误地狙杀目标。比起狙杀有防御性的目标，狙杀没有任何防御性的目标更为容易。狙击手一定不能有情绪波动，如焦虑和悔恨。如果选手参加狙击手训练是为了提高自己的威望，为了炫耀，那他是不能胜任这项工作的。

对于选拔狙击手来说，最好是选拔野外生存能力强的学员，因为拥有丰富的野外生存经验要比拥有精准的枪法更为重要。拥有高学历，学习能力强，丰富的野外生存经验，一等或特等射手、对射击有天赋的学员，将会成为一名杰出的狙击手。

狙击手与观察手的职责

在狙击小组中，每一个队员都会有自己的任务。小组间每一个队员都要反复进行训练，以达到团队之间的默契，相互配合并协同作战。狙击小组成员职责如下。

狙击手：出发前，撰写行动计划；推进时，作为垫后掩护，并消除留下的痕迹；匍匐潜行或追踪敌人时，走在领头的位置；决定隐蔽地点的位置；调校瞄准镜风偏及俯仰角；锁定并确认所指定的目标；判断目标距离；瞄准目标和射击。

观察手：出发前，提取和打点装备；担负警戒任务；负责无线通信；观察及在射程卡上做记录；制定各目标及攻击顺序；协助狙击手测定目标距离；计算各项影响弹道的因素；给狙击手报告各瞄准参数；观察及指示弹着点。

在战斗中，狙击小组必须有能力在战场环境中移动和生存。小组间相互移动，交替射击。狙击小组的任务是在行动中精确火力支援，这需要小组协同作战。在伊拉克战场上，这一点被证明是很重要的一种训练。因为在伊拉克战场上，美军的地面部队随时可能面对从对面突然出现的敌人，这就要求狙击手或

精确武器射手随时随地依靠身边的物
体进行射击。有时是车，有时是一面
墙，有时是战友的身体等。根据不同
距离上出现的多个目标，狙击小组间
队员也有明确的划分，往往400米以内
为观察手的范围，400米以外为狙击手
的范围，所以需要狙击手和观察员一

伪装的狙击手

起计算气候对子弹弹道的影响，计算目标距离，必要时交换角色，观测子弹弹
着点，二次射击前对目标进行评估。

　　20世纪70年代开始，欧洲出现了一批军事化的恐怖分子，对于这批恐怖
分子的打击，各国都是动用军方特种部队来进行反恐战斗，直到现在反恐训练
已经成为各国军方新的训练科目。所以上面介绍的狙击手在现代战争中新的作
用之一，就是取代SWAT（特殊武器与战术），成为打击恐怖分子的重要手段。

<h1 style="text-align:center">狙击手的训练</h1>

狙击手和神枪手的区别

　　什么是狙击手？在普通的人眼里，狙击手与神枪手是同一个含义，而有的
人还会把狙击手与杀手混淆。

　　首先狙击手与神枪手的不同在于神枪手只是枪法准就行，往往射击的目标
距离在400米以内，警方的狙击手就属于神枪手行列，因为他们不需要在远距
离上精确狙杀目标。警方的狙击手因为是在城市中作战，只需要有精准的枪法
就可以，而部队的狙击手则是在野外执行任务，有很多的未知因素，射击距离
在2000米以内，有时根据实战还要射击2000米以外的目标。警方的狙击手对
射击精度有着很高的要求，这是城市反恐作战的特殊情况所致。因为射击人体
心脏，人会有8～13秒的潜意识时间，在这段时间里恐怖分子有足够的时间
引爆炸药或杀害人质。射击头部有三种位置，分别是眉心、鼻子到嘴之间和咽
喉部位，这是因为各国对人体的研究不同造成的。

　　军方的职业狙击手，都是接受过资深射击训练和野外生存训练的士兵，现
在他们还要接受比SWAT更专业的城市与野外反恐训练。他们可以完成常规部

狙击手的选拔与训练

狙击手的训练

队所不能完成的精确打击与战略侦察任务等。

狙击手的训练方式

狙击手拥有特殊的组织与训练方式，拥有特殊的军事装备，用以执行非常规部队所不能完成的准军事行动。他们会在战区或政治敏感性区域对敌执行军事、政治、经济、心理等打击方式，他们的行动会以暗杀、侦察、目标指示等方式展开。有时还会为部队或特种小分队进行侦察或精确的火力支援等任务。

狙击手的培养相当不易，其间包括了各个不同阶段的训练科目，如基本的装备操作使用、各种静/动态射击训练、野外观察与行迹追踪、野外求生、地图判读、情报收集与分析解读、野外阵地的架设与伪装、进入/渗透与撤离路线安排、诡雷架设与反爆拆除、作战计划拟定与通信协定等近20项科目。

很多人都以为狙击手只要枪射得准就够了，50年前这句话并没什么错，但是现在射击训练内容复杂的程度会让人大吃一惊。枪支的弹道会因膛线、地心引力及风速的影响而使弹着点产生误差是大家都知道的，因此步枪的表尺与照门是可调的，以此来修正这些误差；但狙击镜的倍率也会产生射击差，可调倍率狙击镜更使这个问题雪上加霜，而温差及光学偏折现象亦会造成相关困扰，因此狙击手必须在各种不同的天气、温度环境下，进行不同距离的射击训练，并详实记录在枪械射击记录卡上，以帮助了解枪械的性能与误差，再加以修正，直到可以接受的范围，第一阶段的射击才能告一段落，但枪支仍要经常试射，并继续记录、修正。

当能随心所欲地射中静态目标后，射击动态目标是训练的第二个阶段。动态目标的移动速率会因行走、跑步或所搭交通工具而有所不同，而依目标与狙击手间的距离、风速所取的前置量也有所不同，事实上，瞄准部位不同，前置量也会不同。因此，狙击训练会建议在何种距离的何种移动速率下，瞄准人体的某个部位作为参考点为最佳，再拉开距离与移动速率，推算最恰当的前置量，这是动态射击的第一步。动态射击的第二步是射击时机。由于目标一直处于移动状态，前置量也可能因其停止或加速而改变，甚至丧失了射击时机，何时射击？当经过一段时间的练习与教官的经验传授后，练习生都会对射击时机有了进一步的了解与体会，而动态射击第二步的前半阶段也算完成。但后半阶段才是重点，那就是弹药的选择。现代的狙击手除了传统的人员狙杀外，非硬性目标的破坏亦列入狙击任务内容，包含车辆的破坏、直升机、轻型装甲车、通信设备与油槽、水塔等具战略意义的目标，此时弹种的选择就更显重要

训练中的狙击手

了，而事前的情报收集与前置准备则更是不可忽略。 另外对付有防弹玻璃的车辆，一般的建议是以穿甲弹、穿甲燃烧弹搭配使用，先以第1发穿甲弹试图击破防弹玻璃，并直接格杀车内人员，若第1发未能打穿，则用第2发的穿甲燃烧弹以高温进一步破坏防弹玻璃的防弹性能，并以后续接连发的方式击杀目标，若仍未能达成任务，则用穿甲燃烧弹射向车辆的油箱，造成油箱爆炸。

　　射击训练的最后阶段是打哪里？答案是：只要狙击手知道他要打的是什么，在哪里，就有可能办到。以战车为例，狙击手可以攻击的部位是通信天线、车长用潜望镜、外挂油箱与驾驶用潜望镜，但这些都无法直接对战车造成伤害，主要是要使车内乘员必须停车外出查看，再加以消灭，此种属于软性猎杀。

　　各种任务的击毁点都能一清二楚时，射击训练才算告一段落，但切记还要不断练习。

野外观察

　　在军事的狙击任务中，绝大部分是在野外的军营或基地进行，而现代部队军事专业素养极高，如何有效侦察敌情，是每位军人都应了解的，狙击手亦然，只不过由于任务性质的特殊，狙击手对于敌情的收集有其特殊模式。为求射击的精确与相关调整（例如狙击镜倍率、焦距等射击诸元），对整个目标区的有效射程内，地形地物的相对位置是否会影响射击的弹着误差便需特别注意，例如大型物体：岩石、树木、山丘、建筑物附近的风向会因受阻挡而改变，与开阔地风向不

伪装的狙击手

狙击手的选拔与训练

同，因此针对大型物体周遭风向修正便需特别注意；而河流、池塘等水源地所产生的雾气对瞄准的影响，灯光、烧燃火堆周围所产生的投影偏差，也会造成射击时的估算误差。为求精准，所有物体的位置、相对距离以及与狙击手的距离、方位角、光源、风向、风偏等相关诸元素，需事先测量好，并记录，以便随时查询。而野外观察的重点在于，让狙击手在整个观察过程中培养信心、增强对目标动态的了解，以及行动计划与执行细节的设计规划上。

在进行长时期的野外观察时，狙击手本身所在的位置即可视为一个小阵地，可在未经伪装的一块空地或自然掩蔽物的下方设立，但为求不暴露自身的位置与方便长时期观察，一般都会设计成一个伪装与隐蔽良好的观察阵地，装备的堆放与人员的休息处所，都预留良好的地方，但重要的是能使狙击手在长时期潜伏观察后，仍能保留足够的体力与精神执行任务。

在一般的条件状况下，都会采用卧姿的阵地，这样利于长期观察，方便伪装，不易被发现，并且构建过程简单。通常阵地的大小宽约3米，高度在1米左右。通常会有两处伪装良好的开口，一处较大的开口是供人员进出之用，另一处较小的开口则是供观察与出枪射击之用。这样大小的阵地可以供2名狙击人员以轮班的方式，对目标区进行长时间的轮流监看，当其中一人监看时，另一人休息、用餐与装备保养，而观察用开口则需以小台阶架起，方便狙击手以卧姿进行观察时，肘部可以有所依托，上半身也可因此而不至于过分劳累，以方便进行长时间的观察。

另外在观察点的选择上，除了考虑对目标区的监看方便外，其本身的隐密性、周遭条件的配合性（例如水源的取得与进出路线的安排）、与降落区的距离、距离主要道路的位置、下雨时阵地是否仍能保持干燥、会不会积水、天气炎热时能否保持凉爽，以及最重要的是对任务完成的助益多少，亦需注意。

伪装的狙击手

不破坏周遭环境、尽量与环境融为一体，是伪装的最高指导原则，能不使用人工的物体就尽量不要用，尽量使用天然的树枝、草叶、植被与岩块，最好是利用天然的涵洞、岩缝，空心树

干与树根空间等位置。

　　进入阵地开始进行观察前的最后一个动作，便是在周遭撒上催泪瓦斯粉，以防止野生动物的接近，而导致暴露阵地位置或对狙击手造成伤害，导致任务无法完成；当然前面提到的野外求生、野外观察与行迹追踪、地图判读、情报收集与分析解读、进行渗透与撤离路线安排、诡雷架设与反爆拆除、作战计划拟定与通信协定等技术，亦是狙击手养成过程中不可或缺的专业技能。

　　为了任务执行上的考量，狙击手通常是以单兵或2人组进行孤独而漫长的狙击任务，在任务进行全程中，生理与心理状况的自我调适，也是狙击手养成过程中不可或缺的一环。而这些基本训练完成之后，射击经验所累积的实力展现，往往是在经过一周的埋伏与观察之后的一声枪响。枪响之后，还得再经过数天的长途跋涉回到基地，转而进行另一个任务，而那又将是一个无限的循环噩梦。

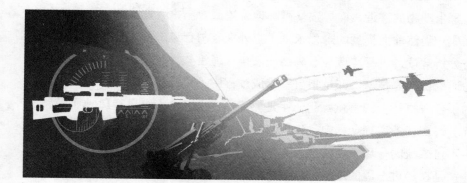

狙击手的作战技巧

狙击手的运用

　　一般认为，狙击手只是躲在隐蔽场所偷偷地向目标打冷枪，但事实上狙击手并非单枪匹马自由行动，而是以小组形式在连长、排长或班长的指挥下对远距离的重要目标实施精确打击，并为现场指挥官提供及时的战场情况报告。恰当地运用狙击手能扰乱敌军的运动、侦察和渗透，甚至在敌军士兵当中产生恐惧心理，由此引起混乱并降低其士气，从而影响到敌人的战斗决心和作战行动。尽管许多国家的军队里都有专门的狙击手训练和相关的战术条令，但事实上许多基层军官不了解狙击手的价值和应该怎样使用他们，所以许多受过良好训练的狙击手都只被当成一个神枪手而浪费了，这种情况几乎在任何一个国家的军队中都存在。

　　当运用狙击小组时，指挥人员应清楚不能把狙击手的行动钉死在一个固定的时间表上，要给予狙击手最大限度的行动自由。而狙击小组一定要清楚指挥官的意图、作战方案和火力支持计划，狙击小组一定要自己选择在现场的部署位置，因为只有他们自己才清楚要在什么位置上才能获得清晰的射界而又便于隐蔽。狙击手不能被敌人发现，因为他们的机动能力会比其他单位低得多，而

且也无法有效防御敌军的火力，一旦被发现就必须马上退到敌人看不到的地方。所以狙击小组要先于其他单位进入战场，而且最好有护送队（班或排）一起行动。这样可以使狙击小组在战斗打响前及时就位，而且护送队也能在狙击小组遇险时及时提供援助。

狙击手务必清楚以下因素。

（1）任务：需要完成或协助的任务类型。

（2）敌军：敌方部队的兵种和规模。

（3）地形：行动地区的具体地形地物，也包括气候环境和行动当天的天气。

（4）友军：行动区域内的其他狙击小组、护送队及参与战斗的友军等。

（5）时间：完成任务所需的时间。

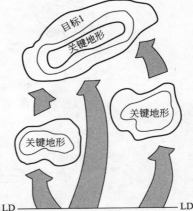

在进攻战斗前，狙击手分析和选择发起进攻时阵地到目标之间的前进路线，选择需要控制的关键地形，以掩护主力部队的行动

在进攻行动中，狙击手通过杀伤敌军的有生力量来打击敌军士气，而且通过识别和射杀对我方部队威胁最大的敌军，从而在进攻行动中扮演着重要的角色。

在进攻行动展开时，狙击手的任务如下：对付敌军的狙击手；及时发现和射击威害性大的目标；用精确火力射击敌方的班组武器操作人员及其他；用精确火力射击敌方的指挥人员；用精确火力射击掩体的射孔；射击敌方的迂回部队；射击撤退中的敌军；保护侧翼；控制关键地形。

当要在进攻当中使用狙击手时，狙击手应在本部队开始行动的 24～48 小时前就出发，并移动到预选的位置；搜集有关敌方的信息；控制关键地形防止敌军的突然出击。

在机械化部队实施机动过程中，虽然狙击手派不上用场，但当进攻部队下车徒步战斗时，狙击手仍可用于支援进攻。

在一次奇袭中，狙击小组可作为掩护火力或支援火力：控制目标区附近或敌军可能的逃亡路线；掩护友军的撤退路线；对目标区提供远程火力。

在防御战斗中，狙击手应系统地选择特定目标进行射杀，最好能妨碍敌军的推进。

在防御战斗中，狙击手的任务如下：控制障碍物、雷区和废墟；射杀敌军

狙击手的作战技巧

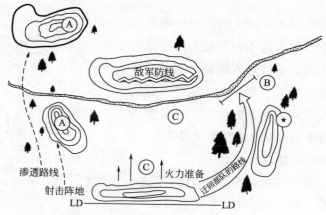

狙击手在迂回战术中的作用示意

A点—狙击手渗透到敌军附近，按预定时间射击目标，配合迂回部队行动；
B点—狙击手为部队选择路线，在迂回部队突击时，负责攻击敌军前哨和保
护部队侧翼；C点—狙击手坚持开火吸引火力，以隐瞒迂回部队真实意图

的侦察分队；射杀暴露在炮塔外的敌军装甲车指挥官、反坦克小组和无线电员；射击破坏装甲车辆的光学仪器，以妨碍其运动；消灭敌军的班组支援火力；妨碍敌军的后援部队；控制关键地形。

在反斜面防御中，狙击手应预先部署在制高点上，以提供有效的远程火力。

在部队转移或后撤时，狙击手用精确的远程火力杀伤敌人，使敌军忙于应对而不能及早地展开兵力。

城市环境与野外战场有很大的不同，因为在野外没那么多的人工地形和道路，而建筑与建筑间或街道与街道间的战斗大大缩短了狙击手的作战距离，但这也使得狙击手有更佳的观察角度和射界，如果把战场监视引导间接火力和狙击手本身的直接精确火力结合起来，狙击手将在城市战斗中扮演一个重要角色。

建筑物内部和地下通道是最好的行动路线，穿过地面街道则很容易被发现。狙击手适宜部署在石制建筑物内，这样会有很好的防护、更大的射界和清晰的观察视界。不过对敌人而言也很容易发现狙击手的位置，所以狙击手应设法消除枪声和枪口焰。例如不要直接在门、窗及其他洞口上射击，最好能隔着邻近的废弃建筑射击和观察，另外也可以在墙上凿出一个外宽内窄的漏斗形射孔。在城市巷战中，门、窗和墙洞都是极易受到关注的地方，所以狙击手应隐藏在

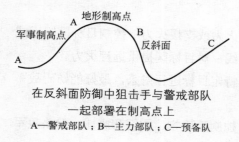

在反斜面防御中狙击手与警戒部队
一起部署在制高点上
A—警戒部队；B—主力部队；C—预备队

敌人容易轻视的位置。

两个优秀狙击手之间的对决由于极具传奇性和观赏性而被小说家、影视编剧青睐，但战场上对付狙击手最有效的方法往往是炮击，这包括装甲车辆的主炮、单兵火箭和导弹等一线部队可得到的直射火力。不过这并不表示狙击手在反狙击行动中就毫无作用，事实上，接受过专业狙击训练的人可以采用逆向思维，迅速地判定敌方狙击手可能的藏身处，引导直射炮火进行火力扫荡。当然在得不到直射炮火支援的情况下，狙击手更是反狙击行动中的重要资源。另外，在长时间的武装对峙中，敌对双方经常会派遣狙击手侵扰对方部队的控制地域，在这种情况下，也适宜用狙击手进行反狙击任务。

狙击小组

专业的狙击手并不是一个孤胆英雄，而是一个训练有素的小组，美军从越战时期开始创造的两人小组形式现在已经被大多数国家的军队所学习，这两名狙击手各自担任不同的任务，包括一名狙击手（主射手）和一名观瞄手。狙击手负责对目标的瞄准和射击，而观瞄手则负责观察和警卫。

伪装的狙击手

理论上，当狙击手们作为一个小组进行训练时，就应该永远维持这个组合形式，因为小组成员在长时间的合作训练中已经形成默契。不过两名成员中必定有一位的经验水平较好，对于这名成员在小组中的位置，不同的军队有不同的看法，甚至在美军中也是如此。例如美国海军陆战队认为小组中经验最好的射手应该担任狙击手，狙击手才是行动的关键，而观瞄手只是辅助狙击手进行侦察和警卫任务的；然而美国陆军却认为经验丰富的射手应该是观瞄手，他们认为"狙击手只是猴子，而观瞄手是驯兽师"，这意味着好的观瞄手能通过口述命令指挥狙击手瞄准和射击，并根据风向、风力、空气湿度告诉射手怎样调整瞄准镜从而击中目标，同时他还要负责监视周围环境，并负担起整个小组的警卫工作，让狙击手专心致志地瞄准射击，并根据情况变化做出战术决定。

由于职责不同，两名成员的武器也各不相同，例如美国陆军野战条令

狙击手的作战技巧

023

在伊拉克战争中的一个美国海军陆战队的狙击小组，主射手使用 M40A1 狙击枪，观瞄手携带下挂 M203 榴弹发射器的 M16A2 突击步枪

FM23-10 中说明狙击手携带 M24 狙击步枪，而观瞄手则携带下挂 M203 榴弹发射器的 M16A1/A2 突击步枪，而海军陆战队也是采用类似的组合。突击步枪火力较猛，比狙击步枪更适合对付中、近距离的目标，而 M203 榴弹发射器能加强狙击小组的火力，并且可以向较远距离投射烟雾弹，掩护狙击小组撤退。

美国海豹突击队狙击手经常要担负尖兵/渗透侦察分队的工作，因此一个狙击小组可能多达 4 人，而且在此类任务中的武器多以自动武器为主。

狙击手和观瞄手在任务执行中，各负其责，共同完成所要执行的任务。狙击行动大致可划分为三个阶段：计划编制阶段、行动阶段和狙击阶段。

当狙击小组接受任务时，就进入计划编制阶段，小组的两名成员都应该出席简报会并掌握所有已知情报，这有助于了解任务性质和环境，并选择行军路线、目标转移地点（ORP）和射击阵地（FFP）。

当做好计划后，就要开始准备和检查任务所需的装备，两名小组成员各自对自己的武器装备负责。例如狙击手要检查和准备好狙击步枪和光学瞄准镜，而观瞄手则要检查无线电、观测望远镜这类支援装备的工作状况。如果某些任务中需要特殊的装备，如热成像仪、录像机、照相机等，小组成员要一起检查和准备好这些东西。

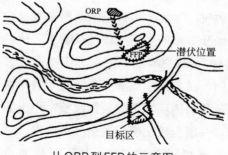

从ORP到FFP的示意图

在所需物品都打包装好后，狙击任务进入第二个阶段：前进到 ORP，再从 ORP 前进到 FFP。ORP 是狙击小组做最后准备和从那里进入 FFP 运动阶段的地点，伪装服通常是在这里才穿上的，有必要的话，还需要在这里藏起作战时不需要的装备。

从出发地点（狙击小组离开友军控

制区）到 ORP 途中是由观瞄手带路，并担任主射手，他负责选择最佳的路线和导航。一般情况下只是由观瞄手携带突击武器，不过在某些情况下，两名成员都会携带突击武器，而狙击步枪则装进有保护作用的枪袋背起来，到了 ORP 才解下来。到了 ORP 后，狙击小组就要做最后的准备工作，如果有护送小分队，ORP 也是狙击小组与护送小队分手的地方，然后护送小队留在 ORP 或到达预定汇合点，而狙击小组则缓慢、隐蔽地向 FFP 前进。从 ORP 到 FFP 的路程中由狙击手带路，因为射击阵地是由狙击手来选择的。

当小组到达射击阵地时，就开始了最后的阶段，这时狙击手和观瞄手都要开始做好各自的准备工作。狙击手在就位后，就要检查武器、上膛并确保枪口前方没有任何障碍。观瞄手就位后的准备工作比较多，要观察目标区域，识别主要目标位置，识别关键地形和敌人接近的可能路线，制作地形草图和一张射程卡并打开观察日志。如果需要构筑简易的单兵掩体，一般由观瞄手负责警卫，由狙击手负责构筑阵地。

狙击手应该找一个使他能建立稳定和舒适的射击姿势的位置，并且对目标区域有极佳的视野，也要便于隐匿和撤退。在狙击手选定他的位置后，观瞄手就选择尽量接近（但不要接触）狙击手的位置。最理想的观瞄手位置是位于狙击手的右后方（如果是狙击手用左手射击，则为左后方）并使他的视线刚好越过狙击手的肩部，这个位置使两人之间能方便地低声对话，而且观瞄手可以一边观察目标区域一边观察狙击手的动作，而观瞄手的望远镜/观瞄镜的视线接近狙击手的枪膛轴线，也使得观瞄手更容易追踪弹道轨迹和观测弹着点，更准确地提供瞄准的修正量。不过具体采用何种姿势和位置要根据现场的实际情况和地形环境灵活选择。

观瞄手要位于狙击手的后方并尽量贴近狙击步枪的枪膛轴线。如果狙击手没有可利用的依托物品（如两脚架、背包或树叉等支撑步枪的物体），他可以使用观瞄手的身体作为步枪的依托，但这只是应急的方法，一般情况下并不推荐。例如在卧姿方式下，观瞄手可卧倒在相对于目标 45°～75°的角度，把望远镜对准观察区，狙击手卧倒在观瞄手后面并以他的大腿作为支撑。如果植被较高妨碍狙击手采用卧姿方式射击，狙击手可让观瞄手面向目标区盘腿而坐。观瞄手把肘部搁在膝盖保持稳定。但由于这个姿势容易疲劳，所以建议不必始终把望远镜对准观察区。狙击手坐在观瞄手后面，把步枪的前护木放置在观瞄手左肩上，用左手稳定武器（如果是左撇子则相反）。在使用这个姿势准备射击时，狙击手和观瞄手一定要同时屏住呼吸。用立姿方式时也是一样。

狙击手与观瞄手之间的交流

狙击手和观瞄手之间的交流，不是简单的聊天，而是为了迅速准确地传递信息，因此他们之间的交流应该是高效和准确的。两名成员之间对彼此的了解很重要，而且要建立一个规范的对话形式，对话的内容如下。

（1）警告命令：任一成员发现目标时，都要通知另一成员准备行动。

（2）目标位置：通过地形标记物方向通知另一成员目标的真实位置。

（3）目标描述：对目标细节的描述，使主射手肯定地识别正在瞄准的目标。

（4）射程估算：通常主射手在识别目标时，也会自觉地估算目标距离，当他读出估算的距离后，观瞄手就开始计算射程并告诉射手是否需要修正。

（5）风偏修正：观瞄手要检查风向和风速，并通知射手怎样修正。

（6）开火：这并不需要口头指示，在做出风偏修正后3～9秒内射手就应该开火，如果射手错过这个时机，观瞄手应该告诉射手维持现状或给出一个新的射程估算和风偏修正。

（7）命中说明：狙击手宣布子弹击中什么位置，以便观瞄手观察弹着点，并决定如果再打第二枪应怎样修正。

（8）目标状态或继续射击命令：观瞄手观察到子弹命中的情况并做出决定：需要打第二枪还是转移阵地，如果要打第二枪，则应该再说明射程估算和风偏修正。

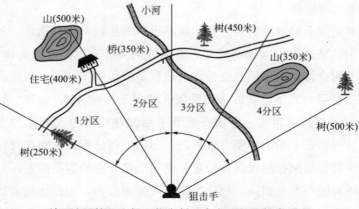

利用地形特征和标记物在射程卡上分区的基本原理

另外在对话过程中接受命令的人必须重复一遍，以确保他确实听清楚命令的内容，以下是一个小组对话的例子。

观瞄手：目标！

观瞄手：A 扇区，1 号标记物，右 50°，距离 50。

狙击手：明白，A 扇区，1 号标记物，右 50°，距离 50。

观瞄手：单个士兵，黑色衣着，右手持 AK。

狙击手：明白，单个士兵，黑色衣着，右手持 AK。

狙击手：目标确认！

狙击手：我看到从头部到胯部有 2 密位。

观瞄手：明白，从头部到胯部有 2 密位。

观瞄手：调到 500。

狙击手：明白，调到 500，调好了！

观瞄手：风向从右到左每小时 6 英里，向右偏 1/4 密位。

狙击手：明白，风向从右到左每小时 6 英里，向右偏 1/4 密位。

砰!!!（狙击手立即推下一发弹上膛）

狙击手：偏右 1/4 密位。

观瞄手：击中靶心，可以准备好下一个了。

狙击手：明白，击中靶心，准备下一个。

狙击小组必须统一他们的测量单位，还要统一许多简短的缩略语，例如当一名成员说距离 50 时，另一名成员就必须清楚这是指 50 米、50 码还是 50 英尺。在日常训练中，小组成员就必须经常练习这种以秒为单位的会话过程。

伪装的狙击手

资料记录

为了在执行狙击任务的过程中迅速准确地识别、瞄准和射击目标，狙击小组应当事先掌握阵地周围的地形特征、标记物的位置与距离，并制作射程卡或

射程表。狙击小组的第二任务是为他们的直接指挥官收集和提供情报，准确地记录和传递现场信息，因此狙击小组还需要准备好绘画现场草图和观察记录日志。

射程卡在从二战时期就开始使用，当时的射程卡是在白纸上画出目标区的地形草图，再划分成数个分区并编号。在越南战争时期，美军规范了这种做法，并为狙击提供一种预先印制好的标准图表，被称为"狙击手射程卡"，当然在没有这份标准图表的情况下，狙击手也可以用任何纸张制作射程卡。

狙击小组根据距离把显着物体和地形特征画在射程卡上，然后选定一些地形标记物并用虚线划分若干个扇区，再把各个扇区按字母顺序编号，把各扇区内的地形标记物都标上数字编号，这样小组成员间就可以迅速地说明和找寻目标所在位置。例如观瞄手说："A 扇区的十字路口。"这样狙击手马上就能找到准确位置。在射程卡上不设置距离限制，因此狙击小组也可以把射程以外的目标区画在射程卡上，用于引导间接火力（如炮击或空中支持）。射程卡上包括的信息如下。

（1）姓名、军衔和单位。

（2）估算射程的方式。

（3）交战区的两侧界限。

（4）主要的地形特征、道路和建筑。

（5）温度、湿度和风向风速（当这些因素发现变化时，要删去原记录）。

（6）标出不同位置上的射程、高度和风偏。

（7）目标参考点（方位、距离和描述）。

现场草图用于记录整个目标区域的信息，这些草图不只是画出地形地貌，还要标出细节部分，如围墙的类型、电话线数量、河流的深度等。现场草图一般分为两类：全景草图和地形草图。全景草图是以透视法画出从狙击小组的位置所观察到的实际画面，在全景草图中应包括以下信息：姓名、军衔和单位；地区注释；草图名称；狙击小组位置的方格坐标；天气；穿过草图中心的磁方位；草图编号和比例；日期和时间。

绘画草图的基本方针如下。

（1）从整体再到部分。首先决定草图的边界，然后描绘较大物体的草图，如小丘、山脉或大型建筑物的轮廓，画完较大物体的轮廓后，再开始画较小的细节。

（2）用同样的形状表示同样的物体。不必描绘每棵树、灌木篱墙或林木线的细节，用相同的形状画出同类物体，不必专注于详细的细节，除非特殊任务中需要如此。

地形草图是参照比例画出目标区的平面图，这种类型的草图在描述道路系统、水体的流动、自然或人工障碍的位置时非常有用，地形草图也能当做射程卡的一个补充使用。地形草图中的信息包括：狙击小组位置的方格坐标；姓名、军衔和单位；注释；草图名称；方格坐标；天气；磁方位；草图编号和比例；日期和时间。

狙击小组要在记事本上记录目标区域内的所有活动和事件，把这些观察日志与现场草图和射程卡一起使用，不仅是为了给指挥官和情报人员提供目标区域内的情报，同时也方便狙击小组根据目标区的活动记录分析敌军的意图和活动，调整适当的战术。在观察日志上记录的信息包括：图表编号和图表总数；观察者的姓名、军衔和单位；观察资料的日期、时间和能见度；狙击小组位置的方格坐标；序号、时间和各个事件发生的方格坐标；发生的事件；采取的行动和注释。

狙击手的作战技巧

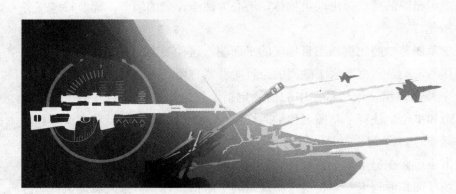

狙击手的装备

由于各国部队与各级特战单位对狙击任务的要求不同，所以狙击手的装备也各不相同，但伪装服、狙击枪（含狙击镜）、测距观测镜、手枪、刀、地图、指北针、基本维生装备是绝不可少的。其他如无线电、卫星通信仪器、星光夜视镜或前视红外、雷射测距仪、全球卫星定位系统（GPS）等，则依任务及个人喜好选用。以上指的都是制式装备。而在个人装备上，为了长时期潜伏与维持静止姿势，大部分狙击手都使用水袋与吸管。基于同样的理由，标准的口粮亦不符需求；在外出执行任务期间，狙击手通常会以高能浓缩口粮作为食物及热量来源，这种特别设计的口粮，可将一个人一星期的热量所需，缩减到只有半个便当盒大小，其中蛋白质与卡路里含量极高，并添加了多种维生素与其他营养成分。而服装与脚下的鞋子也需长期穿戴，必须考虑防潮、保暖与舒适性，以及在各种恶劣环境下的适用性，这也是所有狙击用装备的共同考量。

伪装服

狙击手之所以会让步兵恐惧，一方面在于其枪法精准，另外一方面在于他们一般不会被敌人发现，杀人于暗处。下面介绍狙击手的伪装技巧，揭开狙击手神秘的面纱。

伪装的原理

这里说的伪装主要是对视觉上的伪装，也就是所谓的光学伪装，利用欺骗人眼的方法，使得敌人分不出你跟四周的景物有区别，进而达到伪装的目的。

1. 伪装方法

（1）头部的伪装。眼睛长在头上，正因如此，狙击手在隐蔽行动中，还是要不时从掩体后方伸出头来观察四周的情况，导致头成了身体上最容易被察觉的部分，下面介绍如何伪装头部，使得被发现的概率降低。

伪装的狙击手

① 防弹头盔。这是普通士兵的标准装备，戴着可以提高中弹后的存活概率，但是狙击手只在与普通士兵混编行军中才会佩戴，为的是敌人分辨不出他们（狙击手）与普通士兵的区别。毕竟狙击手隐蔽行动中不被发现下的存活概率是最大的。

② 棒球帽。棒球帽是军警人员最爱戴的便帽，前面的帽檐可以在佩戴者的脸上形成阴影，使五官不至于那么容易识别，但帽子仍然无法隐蔽头部的形状。

③ 毛线帽。在寒带地区，特种部队才会佩戴这种用毛线编织成的帽子，它的设计作用是御寒，没有隐蔽效果。

④ 丛林软帽。一顶与身上野战服颜色相同的丛林软帽，是狙击手用做头部伪装的首选，可以揉皱的帽行与帽檐能有效隐蔽头部形状。阳光下帽檐的阴影也足以遮盖整个头部，帽子上也有许多带环，以便捆绑隐蔽物。

（2）伪装油彩。伪装油彩如果使用得当，得到的效果是伪装网的外部伪装无法比拟的。

① 脸部油彩的涂抹。眼睛在看东西时，因为习惯了光线投

执行任务的狙击手

狙击手的装备

031

射在凹凸面上形成光暗效果，往往把平面上深沉的颜色误认为凹陷面的阴影，浅色的地方则被看成是凸出的部分，脸部迷彩的涂抹是基于此原理来产生视觉干扰蒙蔽敌人的眼睛。在这里要提到的是，因为油彩是要长时间涂在脸上的，经过汗水的冲刷，难免会掉色，所以应该不时与同伴互相补画对方脸上的迷彩。

涂抹原则是眼窝、耳蜗、眉心和鼻子下方等凹陷位置，可涂上较浅的颜色，鼻尖、前额、下颚与两颊等凸出部分则涂上较深沉的颜色，与光线在脸上造成的高光与阴影效果刚好相反。

涂抹范围包括一些容易忽略的部分，比如眼帘、耳背和颈部。有一点要留意，切忌将脸上的油彩涂成左右对称的图案，因为类似的色彩组合在大自然中是不常见的，必然会引起敌人的注意。

东方人五官较扁平，可采用斑纹行图案。眼球是无法涂上油彩来做隐蔽的，当面孔上加上掩护色后，相比较之下，眼白更加容易惹来注意。补救的方法是在眼睛上下或左右涂上一些白点，打破双眼眼白的对称性。远看上去就像阳光晒在叶子上形成的反光。当手上没有油彩颜料时，木炭灰烬和湿泥均可作为替代用品。

② 手部油彩的涂抹。虽然狙击手在行动的时候是戴着手套的，但是也有时会应为种种原因除去手套，这时候手上的油彩就能发挥隐蔽的效果。需要注意的是，手会出汗，在条件允许的情况下，应不时脱去手套查看手上油彩的效果，并且保持最佳状态。

③ 鞋子的选择。不能选择黑色的也不能选择鞋底是黑色的鞋，要选择与周围环境相似的颜色（最好是跟自身的伪装服颜色相近的）且鞋底与鞋面一色。

2．伪装服的分类

伪装服（又称吉利服 Ghillie），产生于200年前的苏格兰猎场看守员Ghillie Suit，他为了埋伏起来监视非法狩猎者的活动，制作了一件成功的伪装服，并且得到了他想要得到的情报。

现今的伪装服大体分为三种，使用的场合、环境也基本相同。伪装服的种类如下：连身工衣、衣裤分开、遮雨斗篷。

连身工衣是以一体式连身工作服制成的伪装服可给予全身隐蔽，也能防止虫蚁等爬进伪装服里，全身隐蔽物的重量集中在肩膀上，给伏地爬行增加一定阻力。

衣裤分开的伪装服较为灵活。狙击手藏匿于据点，许多时候只需要给头部及上身做隐蔽，衣裤分开的款式可让下身保持灵活，减少累赘的感觉。

遮雨斗篷形式的轻便伪装服最适合狙击手披挂着蜷缩在据点里，可以完全隐没人体的轮廓。

选择时先考虑隐蔽身体范围的大小，再考虑潜伏区的气候，环境因素。

光学瞄准装置

瞄准器分为机械瞄准器和光学瞄准器，其起源已经很难考证。据说至少在16世纪的欧洲，就已经有人尝试过在枪托上固定眼镜镜片。有文字记载，在19世纪以前，火器上已经有了望远镜式的瞄准装置，可用于在弱光条件下的瞄准。到了19世纪40年代，一些美国枪械技工就开始制造带光学

光学瞄准装置

瞄准装置的枪械。1848年纽约州的摩根·詹姆斯设计了一种与枪管同样长度的管形瞄准装置，该装置的后半部安装了玻璃透镜，并有2条用于瞄准的十字线。后来类似的瞄准装置在美国内战中得到应用。但真正具有实用价值的瞄准镜，则诞生在1904年，由德国的卡尔·蔡司研制，并在一战中使用。在二战中，瞄准镜开始发展成熟。发展到现在，瞄准镜主要分为以下三大类：望远式瞄准镜、准直式瞄准镜、反射式瞄准镜。

光学瞄准器最主要的功能是使用光学透镜成像，将目标影像和瞄准线重叠在同一个聚焦平面上，即使眼睛稍有偏移，也不会影响瞄准点。通常光学瞄准镜可以放大影像倍数，也有不放大倍数的。而可放大倍数的瞄准镜又可分固定倍数或可调倍数两类，如4×28指的是物镜直径28厘米，固定放大倍率4倍的瞄准镜；3-9×40则是物镜直径40厘米，可调整放大倍率从3倍到9倍的瞄准镜。

一个光学瞄准镜至少有三个光学透镜组，分别是物镜组、校正镜管组和目镜组，还可能有其他镜组。物镜组负责集光，所以当物镜越大，瞄准镜中的景物就应该更明亮，目镜组负责将这些光线改换回平行光线，让眼睛可以聚焦，造就最大的视野。而校正镜管组则是将物镜的影像由上下颠倒、左右相反而修

狙击手的装备

033

正成正确方向，并且负责调整倍率。瞄准线所在位置可以在校正镜组前的第一聚焦平面，或是其后的第二聚焦平面，而风偏调整钮、高低调整钮以及放大倍率环都是用来控制校正镜管组的左右、高低、前后位置。

　　一个高级瞄准镜镜身内可能有多达 9 个以上的镜片，透过适当的镀膜，其透光率可能超过 95%。不过即使透光率没这么高，视野内的明亮度可能还是高过肉眼视野的明亮度，因为一般物镜的集光面积都大过眼睛的集光面积。

夜视仪

基本原理

　　夜视仪是以像增强器为核心器件的夜间外瞄准具，其工作时不用红外探照灯照明目标，而利用微弱光照下目标所反射光线通过像增强器在荧光屏上增强为人眼可感受的可见图像来观察和瞄准目标。红外夜视仪是利用光电转换技术的军用夜视仪器。它分为主动式和被动式两种：前者用红外探照灯照射目标，接收反射的红外辐射形成图像；后者不发射红外线，依靠目标自身的红外辐射形成"热图像"，故又称为"热像仪"。

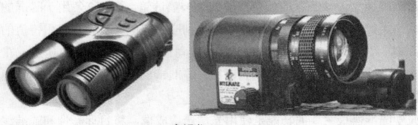

夜视仪

成像设备

　　多数热成像设备的扫描速率为30次／秒。它们能检测的温度范围为 - 20 ～ 2000 摄氏度，能检测出的温差约为0.2 摄氏度。

　　热成像设备一般有两大类。

　　非冷却型：这种热成像设备最为常见。其红外探测器元封装在一个单元内，可在室温下工作。这种系统可以迅速激活，工作时完全静音，并且具有内置的电池。

低温冷却型：这种系统价格更高，而且操作不当很容易损毁。这种热成像设备将探测器元封装在一个外包装内，并将其冷却至0摄氏度以下。由于冷却了探测器元，因此这种系统具有极高的分辨率和敏感度。低温冷却型系统可以"看到"300米以外0.1摄氏度的温差，这样该系统足以判断出一个人手里是不是拿着一把枪！

夜视仪

历代产品

1. 最早一代

最早的夜视系统由美国军方研制，它们被应用在二战和朝鲜战争的战场上，这些NVD系统采用主动红外线技术。

2. 第二代

图像增强管技术的重大进步催生了第二代NVD。它们的分辨率比第一代设备更高，性能更为出色，可靠性也更好。第二代技术最大的收获是，它们具备了在极弱的光线条件下（例如没有月亮的夜晚）生成图像的能力。

3. 第三代

目前美军采用第三代技术。尽管其原理与第二代相比并无本质区别，但这一代NVD的分辨率和敏感度要更好。这是因为其光电阴极由砷化镓制成，这种物质有助于提高光子转化为电子的效率。另外MCP上还带有一个离子壁垒层，能够有效地增加管道寿命。

4. 第四代

通常我们提到的第四代技术亦称"无胶片门限"技术，总体上讲，这一代系统的性能在强光和弱光两种环境中都有较大幅度的改善。

夜视仪的类型

夜视设备可以粗分为三大类。

1. 观测镜

观测镜一般为手持型，也可以安装在武器上，它们采用单筒（一只眼睛）镜身。由于观测镜属于手持设备，不像目镜那样佩戴在身上，所以想要对某一

特定目标进行较为细致的观察，然后回归正常观测条件下时，这种观测镜比较适用。

2. 目镜

尽管目镜也可以手持，但它们通常还是佩戴在额头上。目镜采用双筒（两只眼睛）镜身，根据样式不同可采用单透镜或复合透镜。目镜是进行长时间观测（例如在光线很差的建筑物周围巡逻时）的最佳选择。

3. 摄像头

采用夜视技术的摄像头可将图像传送给显示器，以供即时播放，也可以用录像机将传来的图像记录下来。当需要在一个恒定地点进行高品质的夜视观测时，例如在某固定建筑物上，或是将夜视仪装配为直升机的机载设备时，摄像头就能派上用场。很多新型的摄像机已具备内置的夜视功能。

世界各国狙击步枪

狙击步枪

狙击步枪的学名叫"高精度战术步枪"，最初的狙击步枪并非专门制造，而是在普通步枪中挑选精度相对较高的作为狙击武器使用，并且最早的狙击步枪没有光学和其他辅助瞄准器具。普通步枪的射程一般在400米以内，而狙击步枪的射程一般在800米以上。狙击步枪以其特别高的射击精度，被人称为"一枪夺命"的武器。

随着步兵装甲化，军事力量控制范围和机动能力较大增强，射手无法在近距离接近目标或保证袭击行动的自身安全；狙击战术的普遍应用，如双方都配备狙击步枪并大量采用狙击战术；而现代战场上的高价值目标与日俱增，直升机、停机坪上的飞机、雷达、通信设备、弹药库、导弹阵地和轻型装甲车都已经成为狙击步枪的作战的对象。这些使原有的狙击步枪在射程和威力方面感到不足，于是出现了一些大口径和远射程的狙击步枪。

战场上高技术武器的增多，对狙击步枪战术使用也提出了新要求，高新技

术的发展也为狙击步枪的发展创造了条件。在21世纪，狙击步枪是轻兵器中可望采用高技术较多的一种轻武器。用于狙击步枪上的新开发的火控系统，将减小射手的瞄准误差，尤其是远距离上侧风的影响。狙击步枪的技术含量使其成为21世纪轻兵器中的"精确制导"单兵武器。

狙击步枪的要求

以精密的角度来看，所谓的狙击步枪必须符合下列四大条件。

使用性：狙击枪要提供射手一致的握持与操作行为，亦即射手无需另行复杂或幅度较大的肢体动作进行武器的操作，甚至枪机与扳机的操作亦同。

精密性：狙击枪上各部位的零件不得复杂或因为射击所造成的后座力而松动；可移动的组件部位亦然。狙击枪上的常态性固定组件与活动式组件的交互作用设计为各家枪厂自己的独到之处，全然无固定模式可供规范。

协调性：由于射击为一种物理性变化现象（弹药燃烧为化学性变化现象），例如枪管产生震动，该震动不得影响射击瞄准（自发射第一发子弹以后）的准确度，亦不得影响内弹道与外弹道的稳定。一般而言，余波效应与枪管长度的平方成正比，但是此推算法则不适用于手枪。

弹药推力：狙击枪的弹药应为专业化与专用化，其火药的纯度不得有不足，装药量也不能不足，甚至弹头合金比例也应符合标准，如果使用一般弹药，反而会造成弹头初速或射程下降、抗风偏干扰能力不足、弹道偏转，以及杀伤力下降。

为了降低光线对于肉眼的干扰，以及增加更高的精准度，狙击枪均配属瞄准镜。狙击枪弹药采用中央式底火弹药，以此满足对于弹药燃烧效率与弹头威力的要求。

狙击步枪

使用狙击步枪的目的

在符合以上的要求条件下，一把精密型高准确度的步枪才得以称为狙击枪。其使用目的为：破坏物资为主，击毙敌方人员为辅；其部署以战术为主，但是能够发生战略性效用；击毙敌方指挥人员以阻却敌方行动；击毙敌方交

通载具操作人员以干扰敌方行动；击毙敌方通信人员、自动武器操作人员或重型武器操作人员以大幅降低敌方战斗力；或者击毙敌方狙击手，以提升部队士气，加强区域安全性。

狙击步枪的种类与配备

狙击枪应该被视为执行任务的平台，并且依照任务所需要的表现来决定种类与配备。狙击枪最与众不同之处就是多了一座瞄准镜（然而我们不能把SA80、斯泰尔AUG以及Vepr等"犊牛"式步枪视为狙击枪，因为其瞄准基线短，最好以瞄准镜作为默认瞄具），以及较一般步枪更长的枪身，还有加上托腮架的枪托与两脚架。但是并不是任何一把枪都能成为狙击枪，狙击枪和其他枪支在制作工艺、射击精度上都有着非常大的区别，尤其在射击精度上，狙击枪要考核平均弹着点散布圆直径，并且国外的狙击枪枪弹也要求特制，这样才能尽可能保证任务的完成，保证射手的安全。因此，从平均弹着点散布圆直径可以区分普通长枪。在外表方面，狙击枪可以通过枪管直径、弹容、射击准线来辨别。

枪管可以被称为狙击枪的灵魂，毕竟狙击枪以精准为诉求，所以狙击专用的枪管，在制造与加工上需要的精细度要高过一般的枪管，在质量与重量上也比传统枪管的要求多，以避免从第一发弹药发射后的弹着点发生太大的改变，枪管因为持续的发射而产生高温与膨胀，会导致弹着点分散的角分数值逐渐加大。值得一提的是，狙击枪管的枪膛不像突击步枪的枪膛一样有电镀铬防锈蚀的程序，这也是为了减少对弹着精密度的妨碍所做的考量。

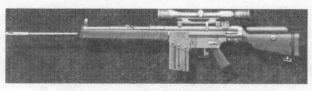

德国msg90式7.62毫米狙击步枪

枪管组装的时候，其实只有跟机匣连接而已，即枪管"浮动"在枪支上，这样的优点在于枪管可以保持不受枪支护木、脚架、枪背带，甚至是狙击手的"手"造成的干扰。有的狙击枪管的外端与一般枪管一样会加装防火帽或者滚架，原则上当做防火帽用来抑制发射时枪口的火光，事实上是用来配重以及保护枪管遭到撞击时不会影响射击的精确度。甚至有的狙击枪枪管上加上肋条保

持张力，以避免枪管受到高温影响（包括地面的辐射温度与枪管发射温度的交互影响）而下垂，例如德拉古诺夫步枪或者瓦尔特 WA 2000 步枪。

有的枪厂设计枪管散热的方式是使用金属套筒，即将枪管套上孔状金属套筒，透过套筒与枪管的接触，将枪管产生的热引导至套筒表面，再由空气带走，这样的好处是不额外增加太多的重量却能发挥大面积的散热效率。

至于安装灭音器之后对于弹着精准度会不会有影响，答案是肯定的。虽然有效距离会减少，但是射击时推送弹头的瓦斯被有效排除，使反冲减少，加上抑制器本身的重量就是枪管的配重增加与改变（类似将枪管更换为重管），在有效距离内，角分的确有可能缩小而使精准度提高。

但是低初速的子弹也代表抗风偏力不足的潜在问题，加上威力下降，弹着点就会有前移的可能，所以最好亲自尝试，甚至包括不同厂牌同一口径的弹药都会告诉射手不同的答案。因此就这一点来说，安装灭音器之后对于弹着精准度确实会有影响。

狙击枪的枪管给予大众的第一印象就是它的长度，以至于大众在弹药种类与枪管长度的交互关系下认为枪管的长度与威力以及子弹初速成正比；大致说来的确如此，尤其是军用狙击枪的设计都倾向于将枪管长度定在 600 毫米左右，这个设计的优点在于弹药燃烧的效果更完整（所以枪口没有特别必要加装防火帽抑制火光，使狙击手受到更好的保护），并且精准度与子弹初速也达到良好的结合。

警方的狙击步枪为了操作便捷而牺牲这项考量，即警用狙击枪枪身较短，其威力较军用狙击枪小，初速也低，但是由于警方与暴徒交火的距离较短，在短距离上往往警用狙击枪的威力还大。

除了瞄准镜是区别狙击枪的外观特征之一以外，枪托上的托腮架是第二个主要的特征。好的托腮架势可以调整上下间距，由于每个狙击手脸部大小不同，加上瞄准镜又比照门的位置高，没有托腮架的协助，狙击手的瞄准线与弹道的交会点就会出现极大的落差，即脸颊不丰腴或短小的狙击手很有可能在没有托腮架的协助下，将弹着点落在目标的前方，形成战场上难得的"善意"警告。

除了前面提到每个射手的生理特征都不同之外，所有的差异中也包括肱骨的长度差异，因此有的枪厂设计的枪托除了托腮架高低可调之外，也包括枪托长短可调，通常是将可调整的组件设置在枪托底板的部分上。

枪背带可能不起眼，不过在精准射击上却占了重要的因素与地位，即在掩体后方以立姿或高跪姿（单膝跪地）射击时，甚至以卧姿射击却缺乏依托时，狙击手可凭借支撑枪支的手臂环绕扯紧枪背带，将枪支与身体紧密结合在一起，降低枪支在握持时摇晃的问题。

瑞士Sauer SSG3000狙击步枪

狙击步枪往往还会搭配两脚架（也有三脚架，例如PSG-1）帮助稳定射击，不过使用脚架时往往也有暴露轮廓的潜在问题。执行任务时往往由观测员携行，或者直接安装在枪支上。直接安装的脚架往往也会造成枪支与藤蔓的缠绕或者触到灌木丛发生噪音或震动，导致狙击手行踪与位置的暴露，影响任务执行上的安全。因此军用狙击枪使用脚架时，必须注意现场地物的特征。

一般来说，大口径狙击枪一般不安装消音器，原因如下。

（1）超音速飞行的弹丸会引起巨大的激波噪音，很难从根本上消除。这种枪一般是打击远处800～1000米以上目标的，由于射程远，因此要求弹丸初速度快，通常为数倍音速。而超音速飞行的时候会引起巨大的激波噪音。

（2）使用消音器后，会影响武器的射程和射击精度。因为重型狙击枪打击的目标距离都相对较远，弹丸飞行时间相对较长，受风力、重力等因素影响更大一些，因此弹丸在经过长距离飞行后，弹着点不是很容易控制。而重型大口径远程狙击枪对弹着点的精度要求是很高的。为了提高精度，就要尽量减少弹丸飞行时间，就要提高初速度，减少受风力的影响，增加弹丸沿着中轴线的滚转速度，尽量减少弹丸受重力影响向下坠落的趋势，防止弹丸偏离中轴线，以尽量维持弹道为相对直线，这就要求枪口初速度要高，滚转速度也要高，即使速度有轻微降低，也是不能容忍的。而消音器一般都是软质材料，对速度的衰减作用即使不大，也会对最终精度造成一定影响，所以一般不使用消音器。

（3）弹丸以数倍音速飞行，到达目标时噪声还没有传导到目标人物的

子弹的发射

世界各国狙击步枪

耳朵中。如果武器精度足够，狙击手的枪法也过硬，那目标人物还没有做出反应就应该已经毙命了。

如果没有击中目标，突然性的隐蔽狙击已经失败，那目标必然会立即展开反击，找到狙击手的伏击位置根本不是问题。希望依靠消除噪音来隐藏是不现实的，一般都是依靠狙击手的迅速转移来保证安全，不能指望用消音器来保命。不过因为是远距离狙击，狙击手还是有时间撤退的。在狙击作战模式中，精度与时间才是决定生死的关键因素，噪音当然也是因素之一，但是却不是最重要的。

美国狙击步枪

巴雷特M82A1狙击步枪

1. 简介

巴雷特M82A1反器材狙击步枪是由美国巴雷特公司研发生产的重型特殊用途狙击步枪，被世界多个国家的军队和警察单位使用，包括美军特种部队。美军昵称它为"轻50"，因为其使用M2重机枪的大口径。此枪有两种衍生型号：原本的M82A1（A3）和采用无托式设计以便于携带的M82A2，随后的XM500也继承它的设计理念，使用了无托式设计。

2. 朗尼·巴雷特

朗尼·巴雷特原本只是美国田纳西州的一名商业摄影师，是一位从未受过任何火器设计训练的枪械爱好者。1981年1月，一次偶然的机会，促使巴雷特决心设计一支大口径半自动狙击步枪。于是从设计到制造，不足一年时间他就拿出了一支样枪。接着巴雷特创建了自己的公司，并在1982年开始试生产，M82A1大口径半自动狙击步枪就正式"诞生"了。

3. 发展史

M82由朗尼·巴雷特发明，是使用12.7×99毫米口径弹药来发展的一套半自动狙击步枪。该口径弹药原本是勃朗宁M2HB重机枪所用，于20世

巴雷特M82A1狙击步枪

纪80年代早期开始研发，之后在1982年造出第一把样枪，命名为M82（注意：M82只是巴雷特公司内部的产品编号，并非军方的序列号），巴雷特继续在80年代研发，并于1986年发展出M82A1狙击步枪。

第一张成功推销的军用订单是瑞典于1989年采购的100支M82A1，而最大及最成功的订单是在1990年，美军宣布全面采用M82A1并于科威特的沙漠之盾和沙漠风暴行动中攻击伊拉克军，125支先配备于美国海军陆战队，陆军和空军也接着订购。M82A1被美军称为SASR——特殊用途狙击步枪，可以用于反器材攻击和爆炸物处理（EOD）。M82具有超过1500米的有效射程，搭配高能弹药，可以有效摧毁雷达站、卡车、停放的战斗机等目标，因此也称为"反器材步枪"。M82也用来攻击掩体后的人员，不过打人员并不是主要用途。但是这样就产生了许多类似于"战场公约不准用12.7×99毫米口径枪械攻击人员以避免过于残忍"，"新时代的射击教官还想过用12.7×99毫米口径枪械瞄准人员的非要害或是身上的装备"等误解。然而美国陆军将军军法办公室颁布一条命令，12.7×99毫米口径枪械可以用来对付人员，因为战场环境是瞬息万变的，也牵涉到人命伤亡，有时无法用任何条约来限制。

更先进的M82A2无托式步枪于1987年研发成功，降低后座力的设计使其可以手持抵肩射击而不必使用两脚架，但M82A2并没有很成功地打入市场，很快就停产了。然而2006年，巴雷特开始研发XM500，它的无托式设计类似于M82A2。

M82枪族最新的产品是M82A1M，被美国海军陆战队大量装备并命名为M82A3 SASR。M82A1M与M82A1不同之处在于M82A1M的战术导轨被大幅度加长，除原本的望远式瞄准镜外，更可同时加装其他如夜视镜等瞄准装置，在枪托底部加装单脚架，其他还包括枪身轻量化、改用可拆式两脚架及改良的双室枪口制退器。

其他衍生自M82A1的产品还有M82A1A SASR，基本设计相同，但专门发射挪威Raufoss Mk 211 Mod 0穿甲燃烧弹。

巴雷特M82的军警用户至少有30个国家或地区，如巴西、比利时、智利、丹麦、芬兰、法国、德国、希腊、

巴雷特 M82A1 狙击步枪

以色列、意大利、牙买加、印度尼西亚、墨西哥、荷兰、挪威、菲律宾、葡萄牙、沙特阿拉伯、西班牙、瑞典、土耳其、英国及美国，M82是民间市场常见的50远程射击竞赛用枪，竞赛标靶达1000码（约914米）甚至更远，并成立有"50口径射手协会"（FCSA）等民间组织。

M82在阿富汗战争中弥补了M24的火力持续性和威力，曾有人目击在1760码（约1600米）外一名阿富汗塔利班高官，在护送进入车内的途中被M82撕成两半。美国海岸警卫队使用M82进行缉毒作战，有效打击了海岸附近的高速度运毒小艇。同样巴雷特M82也受执法机关钟爱，包括纽约警察局，因为它可以很快地拦截车辆，而且0.50口径一发就能打坏车子引擎，也能打穿砖墙和水泥，适合城市战斗。

根据《布鲁克林协定》的记载，M82由科索沃在美国国内的支持者走私进科索沃，成为科索沃革命军的武器。北爱尔兰在20世纪90年代，临时爱尔兰共和军（IRA）的南阿马旅采用极其有效的狙击战术对抗英军和皇家警察，用的就是巴雷特步枪。1997年最后一位死于此战的英国士兵斯蒂芬就是被狙击致死，当时北爱尔兰最强的IRA狙击手迈克尔后来被捕，他的狙击枪也被没收，迈克尔共打死7名英军和2名警察。

此外，M82A1于2002年被选为实验性的OSW（理想狙击武器）。此枪（其实不过是一把榴弹发射器）改成25毫米口径的短枪管，发射25×59毫米OCSW（班组武器支援系统）高爆榴弹。实验性的OSW可以更有效地打击目标，但是后座力超出了人体承受的范围。这个武器称为巴雷特有效载荷步枪，现在已经被称为XM109。

4. M82到M107

XM107原打算是采用一种手动枪机狙击步枪，原本巴雷特送交美军测试的XM107其实是巴雷特M95，而且也已经被美军选中，但是最后美军并没采用。

当美军决定采购远程步枪时，已经有预算分配给XM107，为了避免预算问题复杂化，决定将购买的M82命名为M107。2005年夏天，M82终于进入陆军测试，并准备生产，正式成为官方采用，全名为"0.50口径远程狙击步枪M107"，M82只是巴雷特公司内部的产品编号，M107才是正式的军方编号。M107使用Leupold 4.5×14 Vary-X型瞄准镜。

巴雷特M107是一种0.50口径的半自动狙击步枪，像M82一样有后座式枪管吸收后座力，每一次射击的后座力都被内部的枪管复进簧吸收掉。此外，枪支本身重量和大型枪口制退器也吸收不少后座力。M82做了许多修改才变成M107，新特征就是加长的战术导轨，后握把和单脚架枪托。巴雷特近日还打算研发一种轻型版M107，比所有"反器材步枪"都轻，预计会重新打造枪身框架和内部部件以及用轻型材料制造枪口制动器。

巴雷特M82A1狙击步枪

巴雷特M107像M82一样，继承巴雷特"轻50"的名号，并且在许多方面胜过了早期的M82，M107还获选"美军2005年十大军事发明"。

新型的M107是一种商业研发产品，M107CQ是一种特别设计的0.50狙击步枪，用以解决过重问题。M107CQ枪管缩短了9吋（228.6毫米），也比M107轻5磅（2.3公斤），设计者称M107CQ适合用于直升机和船舰防卫、战术侦查车辆、都市近战等方面。

5. 技术性能

M82是短枪管后座式半自动枪械，射击时枪管将后座约25毫米，这时枪膛依然有回转式枪机安全闭锁。经过短暂的后座，枪机开锁被推入机匣上的曲线开锁槽内，枪机回转把枪管开锁。当枪机开锁的同时，枪机加速臂瞬间后压，将枪管的一部分后座能量传递给枪机使其完成动作循环。之后枪管后座到位并被固定，枪机继续后座，弹出弹壳。枪机从弹匣推出一颗子弹并送进枪膛，最终回转式枪机跟枪管闭锁。击针重新回到待击位置。此枪的弹匣一次可装10发，虽然也有12发弹匣的，但是第一次海湾战争后就没有生产了。

机匣分两部分（上部和下部），由薄钢板冲压而成再用十字栓固定。枪管有凹槽可以加快散热和减轻重量，还装有高效的大型枪口制动器。早期的枪口制动器是圆锥形，新的M82装有双膛直角箭头形（V形）制动器。这个制动器减少了接近70%的后座力。其缺陷是每发射一发枪弹时，从制退器喷出的火药气体都会在射手附近卷起大量尘土和松散颗粒。

M82A1可安装瞄准镜和折叠式机械瞄准具，以备瞄准镜损坏时使用。美军M82通常装备Leupold Mark 4望远瞄准镜，而M82A1M（海军陆战队M82A3）有加长型皮卡汀尼导轨和US Optics望远镜，所以可用瞄准配件更多。所有的M82都有可折叠式提把和两脚架（M82A3中两者可以拆下）。M82A3有分离式枪托，枪托内有柔软填充物和特种橡胶肩托垫可以抵消射击后座

枪口制退器　准星　望远瞄准镜

上机匣

枪管

枪机组件

前锁销

两脚架

下机匣

中锁销

弹匣

后锁销

单驻锄

1

巴雷特弹匣的安装方式跟AK完全一样：前挂后拉式。

M82/M107不完全分解图

力，据说后座力比12号口径霰弹和7.62毫米口径的步枪更小。M82A1和M82A3能装于M3或M122三脚架（机枪用的）或是一些"巴雷特缓冲托架"上。M82A1可以安装背带，然而实战中M82很难用传统的背带，因为重量太重，长度太长。通常会使用软式的枪袋或硬质枪盒携带。

无托式的M82A2不同于M82A1的地方大多数在于结构：握把和扳机在弹匣之前，枪托提前到枪膛后面一点处，几乎靠近弹匣。外加的前握把在靠近枪管的下方，瞄准镜也往前移了一段距离。

"0.50 BMG口径步枪"（包括M82步枪的各种型号）发射42.7克的M33型军用标准弹头，最大射程为6800米。但它经常被错误地引用，号称这个武器能对付6800米的目标。事实上，这是在使用手册中提到的允许射击的安全距离，它的有效射程约1500米。"0.50口径的子弹"拥有在6800米致死的潜力，但是需要运用类似于火炮的发射方式（枪口仰角超过30度），6800米只是在修建靶场时具有参考意义，因为需要最大的安全范围时，靶场的长度要求大于这个距离。M82A1这把狙击枪后座力没有多少，因为一部分后座能量作用于枪管、枪机和枪机框，另外枪本身吸收了部分后座能量，但最主要的还是其高效的枪口制退器减少了大部分的后座力，这就保证了射击时的舒适性及射击精度。

6. 弹药

12.7×99毫米NATO机枪弹（0.50 BMG）拥有一个完整的弹药系列，其中M82/M107步枪主要使用如下弹药。

（1）M33型普通弹。M82/M107的标准弹药，弹头重45.8克，编号STD-OTCM 36841，无识别色，弹壳内装15.23克WC860型双基发射药，膛压379MPa。在500米可以击穿8毫米厚的钢板，在1200米可以击穿4毫米厚的钢板。用于对付无防护的人体目标，M82/M107早期一直使用这种枪弹，用于远距离狙击。M33弹尖部装有约0.8克的一水合碳酸钠，一水合碳酸钠为白色粉末，熔点高达851摄氏度，性能稳定，弹头击中目标后，弹头破裂，释放出白色粉末形成烟雾，便于射手观察弹着点，进而修正弹道。相比而言，曳光弹要燃烧曳光剂，飞行过程中重量不断减轻，弹道性能不稳定，跟普通弹的弹道存在差异，增加了瞄准镜的修正难度。这种用烟雾标示弹着点的办法，精度更高。

巴雷特 M82A1 狙击步枪配用的弹药

（2）挪威 Raufoss A 级比赛弹。DODIC 代码 A606，目前只有美军陆战队（USMC）采用，作为标准的弹药配发给 M82 射手。初速 854 米/秒，执行反器材任务时，有效射程达到 1800 米。

（3）M8 穿甲燃烧弹。借用 M2HB 勃朗宁重机枪的弹药，编号 OBS-MSR 11756003，银色弹尖，弹头重 40.34 克，内装 0.97 克 IM11 型燃烧剂，弹壳内装 15.10 克 WC 860 型双基发射药，膛压 406 兆帕，初速 881 米/秒，550 米的散布直径小于 25 厘米。在 100 米可以击穿 20 毫米厚的钢板，在 500 米可以击穿 16 毫米厚的钢板，在 1200 米可以击穿 8 毫米厚的钢板。

（4）M17 曳光弹。编号 CON-MSR 11756003，栗色弹尖，曳光药剂的牌号为 R256，曳光距离 2450 米，弹壳内装 14.58 克 IMR 5010 型单基发射药，膛压 372 兆帕，尽管曳光弹存在弹头重量不断减轻，弹道不稳定的缺点，但是在夜间仍能够观察弹着点。

（5）M20 APIT 穿甲燃烧曳光弹。在 M8 穿甲燃烧弹的基础上，增加了曳光指示功能。编号 OBS-MSR 04776009，红色弹尖下有灰色圈，弹头重 40.11 克，弹尖内装有 1.75 克 IM161 型燃烧剂，弹头尾部装有 R256 型曳光剂，曳光距离 300 ～ 1750 米。在 500 米可以击穿 21 毫米厚的钢板，在 1200 米可以击穿 11 毫米厚的钢板，弹壳内装 14.90 克 IMR 5010 型单基发射药，膛压 379 兆帕，初速 887 米/秒，550 米的散布直径小于 25 厘米。

（6）NM173 AP-S 穿甲弹。由挪威北方弹药集团生产，该集团位于挪威赖福斯村，芬兰、德国、挪威、瑞典、美国都有股份。初速 915 米/秒，550 米的散布直径小于 15 厘米。1000 米距离可以 30 度着角击穿 11 毫米厚的钢板。

（7）Mk 211 Mod 0 API 穿甲燃烧弹。编号 STD-FEB-1996，其实就是从挪威赖福斯村引进的 NAMMO NM140 MP 多用途弹，集穿甲、燃烧、爆炸多功

世界各国狙击步枪

使用巴雷特M82A1狙击步枪美国狙击手

能于一身。美国军方采用后，给了它一个美军编号——"Mk 211 Mod 0"穿甲燃烧弹，简称Raufoss Mk 211 API。弹头尖处涂有绿色和一道白圈。弹头重43.48克，内有直径7.62毫米的钨合金穿甲弹芯；燃烧剂为0.85克＃136含锆燃烧剂；爆炸成分是0.84克A-4混合炸药。弹壳内装WC 860、MR 5010或RA-NC-167型发射药，膛压387兆帕，初速915米/秒。该弹精度高，综合毁伤效能好，能有效对付轻装甲目标。但由于成本较高，主要供M107使用，美国取得生产权以后，开始部分配发给M2重机枪。

（8）M1022远程狙击弹。该弹头涂有绿色，是专门为M107步枪研发的狙击弹，对付无防护的人体目标。

（9）M903 SLAP脱壳穿甲弹。SLAP指"带弹托轻型装甲穿透弹"，1993年配发给M2HB勃朗宁重机枪使用。M903 SLAP属于次口径穿甲弹，作用原理跟坦克主炮使用的次口径穿甲弹是一样的。弹头有一根直径7.62毫米，重约23.3克的钨合金穿甲弹芯，外部是塑料做成的轻型弹托。由于去除了铅套等多余的累赘，弹头加速得更快，用M2HB机枪发射M903 SLAP穿甲弹，弹头初速可以超过1220米/秒，即使是枪管比M2HB短的M82、M107步枪，发射M903 SLAP的初速也高达1014米/秒，要远远高于M82、M107发射Raufoss Mk 211的850米/秒。

M903 SLAP的破坏力是相当惊人的：在500米可以击穿34毫米厚的硬化装甲钢板；在1200米可以击穿23毫米厚的硬化装甲钢板；在1500米距离可以击穿19毫米厚的硬化装甲钢板；而Mk211在1000米射程只能击穿11毫米厚的钢板，威力的差距可见一斑。

跟M903 SLAP脱壳穿甲弹配套使用的还有M962 SLAP-T脱壳穿甲曳光弹，用于指示弹道。

7. 巴雷特M82A1狙击步枪规格

M82A1	口径	12.7×99毫米	原理	枪管后座式、半自动	总长	1219毫米
	枪管长	508毫米	弹匣	10发	瞄具	10倍瞄准镜
	重量	14公斤	枪口初速	853米/秒	有效射程	1850米
	最大射程	6800米	弹药	Sub-MOA弹药		
M82A2	口径	12.7×99毫米	原理	枪管后座式、半自动	总长	1409毫米
	枪管长	737毫米	弹匣	10发	重量	14.75公斤
	枪口初速	900米/秒	有效射程	2100米		
M107	口径	12.7×99毫米	原理	枪管后座式、半自动	总长	1448毫米
	枪管长	737毫米	弹匣	10发	弹匣重	1.87公斤
	重量	12.9公斤	枪口初速	853米/秒	有效射程	1850米
	最大射程	6812米				
XM500	口径	12.7×99毫米	原理	枪管后座式、半自动	总长	1168毫米
	枪管长	737毫米	枪管缠距	381毫米	弹匣	10发
	重量	11.8公斤	枪口初速	900米/秒		
XM109	口径	25毫米	操作	半自动	枪管长度	447毫米
	步枪重量	20.9公斤				

巴雷特M95狙击步枪

1. 简介

巴雷特M95狙击步枪是由美国著名的巴雷特公司生产的0.50口径反器材步枪。在作战中除了用来对付远距离的单兵，还能用来应对掩体、车辆、设备、雷达以及低空低速飞行的飞机等目标。巴雷特M95使用5发0.50口径的子弹，采用了旋转后拉式枪击并配合单发射击，从而保证了它无可匹敌的射击精度。巴雷特M95使用的长反作用管可以有效减轻后座力，确保了0.50口径的巨大破坏力得以充分发挥。

2. 基本性能

大口径狙击步枪主要用于反器材，能够摧毁1～2公里远距离上的轻型防护目标，在二战时期被广泛应用，后在一些局部冲突中也发挥出重要作用。不是以人员杀伤为主要用途，而主要用于打击高价值军事目标，如停机坪上

巴雷特M95狙击步枪

世界各国狙击步枪

049

巴雷特 M95 狙击步枪

的飞机、盘旋的直升机、轻型装甲车辆、通信车、油罐、雷达、监测系统以及掩体、机场设施等，还可有效地封锁交通要道、桥梁和渡口等。

随着步兵装甲化，军事力量控制范围和机动能力较大增强，射手无法在近距离接近目标或保证袭击行动的自身安全；狙击战术的普遍应用，如双方都配备狙击步枪大量采用狙击战术；战场上的自动化和信息化成为重要的特征，但也使军事力量对指挥和通信系统的依赖增强，因此成为特种作战的主要针对目标；空中穿插突降和特种作战比例增大。这些使现有的狙击步枪在射程和威力方面感到不足，于是出现了一些超大口径和远射程的新型号。

M95 型采用长反作用管减轻后座力。

M95 型采用的 20×110 毫米子弹，弹重 130 克，射击初速大约 850 米/秒。这会产生极高的终点打击有效性，但是同时也产生过度后坐力的严重问题。当全重 20 公斤的 M95 型发射 20 毫米弹药大约产生 4 倍或更多的后座力，这是与 0.50 口径弹药从全重 10 公斤步枪射击产生的后座力对比，后者或多或少对射手来讲属正常范围，但后座力达 4 倍的 M95 型必须用辅助设计来减轻后座力到射手容忍限度。

巴雷特公司的设计者发展了一种相当实用的"反后座力系统"，采用反作用原理。系统由长反作用管所组成，位于枪管上面，前端被连接到枪管的中点附近。反作用管的后面部分为反作用喷嘴，当枪射击的时候，一些热火药气体从枪管到反作用筒形成一个反向爆炸，具有反作用力，再产生一次后座力，但与枪支的后座力方向相反来发挥抵消和减弱作用。较大的枪口制退器更进一步帮助减少后座力。这种"反后座力系统"，曾经流行在一些大口径无后座力步枪中，但从不被用于相对较小的武器。这种系统能产生较好的反后座力效果，但也有一些缺点。首先，它需要射手具有一些特别的射击技术，避免来自废气冲击的损伤。其次，由于相同的原因，它可能在被限制的空间（像狭小的建筑物房间）内不能使用，而且 M95 不能够在建筑物附近（例如围墙、附近有第三人的状况下）使用。第三，废气能为敌人指明射手位置。

3. 结构特点

M95 式狙击步枪是美国第一种专门研制的狙击武器系统，它采用旋转后拉式枪机，闭锁稳定性好，结构简单，枪体与枪机配合紧密，因而精度较好。

巴雷特M95狙击步枪

（1）枪体。M95式狙击步枪采用不锈钢制重型枪管，机匣为圆柱形，机匣上和枪管上装有基座，以便安装机械瞄准具。

5发装弹仓配有铰折式底板，便于快速再装弹。所有金属件表面都呈黑色，不反光，和枪托颜色相匹配。

枪托用凯夫拉石墨合成材料制成，前托粗大，枪托上有一个铝合金制衬板和可调托底板。衬板可从枪托的一端延伸到另一端，为3个背带环座（前托上2个，后托上1个）、弹仓底板和扳机护圈提供了牢固的支点。托底板伸缩范围为68.55毫米。枪托上还有较窄的小握把和安装瞄准镜的连接座。

该枪配有可卸式两脚架。

美国陆军还将为该枪配装新的消焰器、消声器及可安装各种瞄准镜和夜视装置的瞄准镜燕尾槽。

（2）瞄准装置。该枪采用洛伊波尔德·史蒂文斯M3式超级望远瞄准镜，放大率为10倍。该瞄准镜有测距分划，一个点对应0.75密位。可调整风偏和高低。此外还备有机械瞄准具，以备瞄准镜损坏时使用。

（3）弹药。使用0.50BMG 12.7×99毫米标配弹药。

4.巴雷特M95狙击步枪的规格

全长	1143 毫米	枪管长度	737 毫米
重量	10.7 公斤	口径	12.7 毫米

巴雷特M98狙击步枪

1. 简介

巴雷特M98狙击步枪是巴雷特公司第一次生产出中口径半自动狙击步枪，它配有导气式自动方式，以及比赛级的高精度枪管，枪管前方有一个小型的V形制退器，机匣顶部有安装瞄准镜的RIS导轨。上机匣为铝合金，下机匣为钢制件，枪托为玻璃纤维材料，护木则是聚甲醛树脂制品。

1987年以后，美军开始装备M98式狙击步枪。这支步枪逐步取代了其他所有的狙击步枪。该枪的前身是各种民用型雷明顿和M98型中的10发装重枪

管单发步枪。

M98是美国第一种专门研制的狙击武器系统，采用旋转后拉式枪机，闭锁可靠性好，枪体与枪机配合紧密，因而精度较好。机匣为圆柱形，与枪托里铝制衬板上的V形槽结合。从枪托的一端延伸到另一端，恰好为3个背带环座（前托上有2个，后托上有1

巴雷特M98狙击步枪

个）、弹仓底板和扳机护圈提供结实的支点。机匣和枪口处装有基座，以便安装机械瞄具。所有金属件表面都是黑色，不反光，和枪托相匹配。枪管为不锈钢制成，重型，可以自由转动定位。

改进后的M98狙击步枪上配有新的消焰器、消声器和供安装各种瞄具的燕尾槽。1991年海湾战争中，美军突击队员和特种分队曾使用该枪。

2. 结构特点

M98式狙击步枪是美国第一种专门研制的狙击武器系统，它采用旋转后拉式枪机，闭锁稳定性好，结构简单，枪体与枪机配合紧密，因而精度较好。

M98式狙击步枪采用不锈钢制重型枪管，机匣为圆柱形，机匣上和枪管上装有基座，以便安装机械瞄准具。

5发装弹仓配有铰折式底板，便于快速再装弹。所有金属件表面都呈黑色，不反光，和枪托颜色相匹配。

枪托用凯夫拉石墨合成材料制成，前托粗大，枪托上有一个铝合金制衬板和可调托底板。衬板可从枪托的一端延伸到另一端，为3个背带环座（前托上有2个，后托上有1个）、弹仓底板和扳机护圈提供了牢固的支点。托底板伸缩范围为68.55毫米。枪托上还有较窄的小握把和安装瞄准镜的连接座。该枪配有可卸式两脚架。

该枪采用洛伊波尔德·史蒂文斯M3式超级望远瞄准镜，放大率为10倍。该瞄准镜有测距分划，一个点对应0.75密位。可调整风偏和高低。此外还备有机械瞄准具，以备瞄准镜损坏时使用。该枪使用美国M118式7.62毫米特种弹头比赛弹。

3. 性能特点

与同类武器相比，射击高精度是M98式狙击步枪的最大亮点。全枪重

巴雷特M98狙击步枪

量轻、后座力小，抵肩与贴腮高度可调，尾部支撑高度也可调，与两脚架配合，支持全枪重量，以提高射击时全枪的稳定性与射击精度。再加上先进的白光瞄准镜，全枪的射击精度大幅提高。在100米处，M99的Rso（50％的枪弹散布范围）密集度小于2.2厘米，和M82处于同一水平。在风速为4米/秒时，用M99对1000米处目标射击能命中半径为0.5米的圆；对1500米处目标射击能命中半径为2.5米的圆；射击2500米处的目标，能命中半径为5米的圆。

12.7毫米枪弹的穿透力很强，能够直接击穿掩体后命中人员目标，使人员丧失战斗力。由于该枪枪管采用特殊的膛线，因此可使用穿甲、燃烧、爆炸、精度弹等多种12.7毫米枪弹。与配装的白光瞄准镜配合使用，具备了射程远、精度高、穿甲能力强、终点效应突出等特点，可得心应手地对战场上多种目标实施有效打击。如使用穿甲燃烧弹，在500米距离上，以90度着角可击穿厚度为15毫米的钢板。使用穿甲爆炸燃烧弹，以30度着角，距离目标800米，可击穿10毫米厚钢板。使用爆炸与燃烧弹时，可在300米处击穿1.8毫米厚的钢板后再爆炸，产生的破片数超过了18片，还可引燃易燃物。

该枪在降低后座力方面颇具匠心。精心研制的高效膛口制退器减少了射击时的大部分后座力，其有效制退率高达80％。半自动的结构又使一部分后座能量释放于枪机和枪机框后座以及压缩复进簧、缓冲簧的过程中。两脚架也吸收了部分后座能量。肩托尾部还有一个橡胶缓冲垫，同样起到了减小后座力的功效。这些措施使M99的可感后座力与12号猎枪差不多。

全枪从工作原理到方案结构采用的都是成熟可靠的技术，如导气式自动原理，半自动发射方式，机头回转式刚性闭锁机构，带双重保险的发射机等。这些充分保证了全枪供弹平稳、自动机工作可靠、故障少、安全性高。无论行军运输、战斗射击，还是维修保养，都能让操作者感到安全。

世界各国狙击步枪

4. 巴雷特M98狙击步枪规格数据

全长	1168毫米	枪管长	610毫米
枪重	7公斤	弹匣容量	10发

巴雷特XM500狙击步枪

1. 简介

巴雷特XM500狙击步枪

它是一支基于巴雷特M82/M107重型狙击步枪的0.50口径狙击步枪。目的是成为一支比M82更轻和更紧凑的替代品。由于XM500装有一支固定的枪管（而不是M82的后座式枪管设计），它很可能会因此有更高的精度。正如它的前身，它装有一个可折叠、可拆下的两脚架安装在护木以下。由于没有准星（机械瞄具），所以必须利用机匣顶部的MIL-STD-1913战术导轨上安装瞄准镜或夜视镜等其他战术配件。由于采用了无托结构的结构，因此来自M82的10发可拆式弹匣的供弹方式安装于扳机的后方。但XM500除了在2006年展出过后，没再出现，也许还没有完成研制和试验。

2. 基本数据

口径	12.7×99毫米	原理	枪管后座式，半自动	总长	1168毫米
枪管缠距	381毫米	弹匣	10发	重量	11.8公斤
枪口初速	900米/秒	有效射程	1850米	最大射程	6800米

XM107狙击步枪

1. 简介

XM107质量为10.4公斤，全长1220毫米，质量比M82A3轻，长度也较M82A3短，包括折叠两脚架、枪托上的后单脚架、枪托上的后握把、带双室型制退器的比赛级枪管、镀铬弹膛、折叠式准星和照门、10发盒型弹匣和特种橡胶后座垫，选配新型第3代AN/PVS-10夜视成像瞄具和Leupold的白光瞄准具。和M82系列的其他狙击步枪一样，XM107的口径为12.7毫米，半自动射击，射程达1000～1500米。该枪发射勃朗宁12.7×99毫米机枪弹（BMG），同时也可使用M82系列的其他弹药（如普通单、穿甲弹、穿甲燃烧弹、曳光

弹等），MARK211（Mk211）弹供XM107专用。

2. 发明与使用

XM107狙击步枪是美国巴雷特公司根据美国陆军提供的反馈意见，做出的M82A1M SASR，即M82A1的模块化改进型，主要是针对反器材设计的，并试图替代现役的M82A3狙击步枪。XM107是美国陆军对其的编号，其型号前的"X"字样表示该枪尚在试用与改进期间。

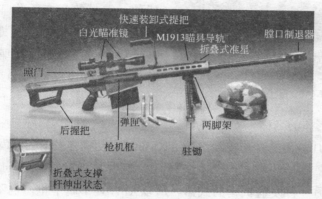

XM107狙击步枪

在阿富汗战争开始时，美国军方就曾为第82空降师和第101空中突击师等部队购买了50支还在研发阶段的XM107步枪，之后又陆续购置了数百支XM107用于阿富汗战场。伊拉克战争爆发后，美国陆军曾购买了几百支XM107运往伊拉克，提供给参加"持久自由"行动和"自由伊拉克"行动的美军部队。

XM107并不是美国官方正式规划的武器开发项目，然而由于伊拉克战争对于该武器的紧急需求，美国陆军加快了对XM107狙击步枪的开发。

美国陆军和海军陆战队装备12.7毫米狙击步枪主要用于反器材，如打击运动中的快艇、摧毁雷达和移动通信系统，较少用其精确杀伤重要人物目标。在阿富汗战争中，XM107的试用者有时也用其对付基地的个人目标。此外，XM107还被用于摧毁已废弃的、未爆炸的弹药。

2009年XM107已被美国官方列入未来几个月内的开发项目中，且在短期内大量生产。据介绍，"该武器已经从技术、操作及评估几个方面证明其可满足陆军的使用需求。""XM107是可批量生产，且不需要重新开发的武器"，而且这一武器比现役的同类武器轻便。

世界各国狙击步枪

据了解，XM107已经取代了现役的M82A3狙击步枪。M82狙击步枪系列在美国陆军和海军陆战队服役了20多年。

XM109狙击步枪

1. 简介

XM109狙击步枪

狙击步枪对于一些远距离的狙击任务，常见的12.7毫米口径子弹威力不足。巴雷特公司作为提倡发展12.7毫米口径狙击步枪的先驱，设计和制造了一种25毫米XM109型狙击步枪，威力惊人，如果改称为"肩射炮"可能是一个更形象的名称。

不过XM109用的弹药实际上是给XM307自动榴弹发射器开发的25毫米高压榴弹，也许归入榴弹发射器应比较合适。但是榴弹发射器既不属于枪也不属于炮，而是另一种发射机构的武器。所以XM109不属于枪，也不属于炮，而是一种能单兵携带的榴弹发射器。

2. 特征

具有破坏轻装甲能力的XM109型狙击榴弹发射器，是一种枪管长447毫米，全长1168毫米的半自动25毫米的发射装置。它重量约20.9公斤，配备一个5发容量的弹匣。而巴雷特M107型12.7毫米口径的狙击步枪，枪管长960毫米，全长1448毫米，重量约15公斤，配备10发容量的弹仓。

XM109狙击榴弹发射器配备的双脚架接触地面的部分采用尖钉状设计，支撑狙击榴弹发射器并在射击时使XM109保持稳定。而且有一个标准皮卡汀尼M1913型附件导轨用于安装其他附件。巴雷特公司除了出售全套的XM109型狙击榴弹发射器外，还为XM107型12.7毫米口径狙击兵步枪改装成25毫米口径提供了可更换的枪机、接收器和弹匣等升级零件。

XM109型狙击榴弹发射器的有效距离约2000米。采用的25毫米子弹派生出用于AH-64"阿帕奇"直升飞机的M789高爆双用途（对抗装甲和人员）30毫米弹药，至少能够穿透50毫米的装甲钢板，有能力摧毁轻装甲车辆、信息发射装置和其他装备。依照弹药制造商所称，25毫米子弹能更有效地摧毁目标，超过12.7毫米口径穿甲弹能力的2.5倍。

XM109狙击步枪

模块化结构设计使改良更加方便，符合不断变化的战场需要。

该枪尖钉状，可调整，有可拆卸分离的双脚架。

3. 装备现状

巴雷特公司设计的XM109狙击步枪，已经完成测试。该枪全长116.84厘米，重21公斤。由于是超大口径，它使用的25毫米子弹是由"阿帕奇"攻击直升机上M789机关炮使用的30毫米高爆子弹改进而来的。据弹药制造商介绍，在杀伤力方面，25毫米子弹是普通狙击步枪所用穿甲弹的3.5倍，能够对付轻型装甲车、"飞毛腿"导弹发射架、通信设施以及停在地面上的飞机等。

巴雷特公司还为XM109狙击步枪研制了"巴雷特光学测距瞄准系统"。这是一种新型的计算机自动瞄准系统，专为1公里以上的远程狙击任务而设计。它可以测量和补偿气压、温度和射击角度等因素对射击造成的影响，提高首发命中的精度。射手只需设定射击距离，选择弹药类型，将瞄准十字线对准目标扣动扳机即可。计算机还能根据首发射击结果，对瞄准仪进行修正。

但这种狙击步枪也有一个不小的缺点，即后座力太大。目前巴雷特公司正在着手解决这个问题。此外，公司还将为它增加测距仪、夜视系统和消音器等配件。

M21狙击步枪

1. 简介

M21狙击手武器系统是一支半自动狙击步枪，是在M14自动步枪的基础上改进研制的。M21狙击步枪于1969年装备美军部队，越南战争后期成为美国陆军、海军和海军陆战队的通用狙击步枪。1988年开始被M24 SWS取代，但M21仍在国民警卫队及其他特种作战部队（如海豹突击队等）中使用。根

M21狙击步枪

据美军狙击小组以两人为单位的基本组成，担任2号射手的狙击手也常常采用半自动的M21来辅助及掩护使用M24 SWS或M82的1号射手。

M21狙击步枪成名于越南战争。M21狙击步枪就是精确化后的M14自动步枪。M14步枪之所以失败，在于它在错误的地点被错误地使用。1968年9月，美国陆军将1800支带瞄准镜、能精确射击的M14步枪送到在越南的美军部队，1969年装备部队，被命名为M21，但直到战争后期才成为美国陆军、海军和海军陆战队的通用狙击步枪。经过多次改进后，M21一直装备到1988年才开始被M24狙击步枪逐渐取代。M14本身是一支相当不错的步枪，因此M21狙击步枪便受到部队的欢迎。

在越南战场上，虽然M16突击步枪全面取代了M14，使美军在200～300米射程上的火力大为增强，但在进行远距离的精确射击时，M16则显得无能为力，美国陆军司令部认为急需为作战部队配备一种新型的狙击步枪。1966年，位于岩岛的美国陆军武器司令部、本宁堡的战斗研究司令部和阿伯丁的有限战争委员会与美国陆军射击训练队一起共同研究新型的狙击步枪。他们将所有能使用的军、民用枪与各种瞄准镜和枪弹配合使用，并根据他们自己制订的原则标准和精度标准，最后选择了配有莱瑟伍德3～9倍ART瞄准镜的一个精确化的M14NM半自动步枪，并命名为XM21。1969年，陆军的岩岛兵工厂把1435支M14NM步枪改装成XM21狙击步枪，并提供给在越南的美国陆军和海军陆战队的狙击手使用。

对M14步枪的精确化主要是进行以下几项改进：首先当然是选用重型比赛枪管；其次是选用一个合适的瞄准镜，当然还要改进发射机构，因为一个平稳而敏感的扳机对于提高单发射击精度是极为重要的；最后就是选用精度高的枪弹。XM21所配用的是盐湖城武器弹药厂生产的M118比赛用枪弹，弹头重173格令（1937.6克），初速810米/秒，弹道比7.62毫米北约标准弹低，接近0.30～0.60弹。弹匣容弹量20发，配有两脚架，射击稳定性好。M21可以使用7.62×51毫米NATO标准枪弹。

最初的M21枪托由核桃木制成，用环氧树脂浸渍，后来改为玻璃纤维护木。开始时，M21配用的瞄准镜是只有2.2倍的M84瞄准镜，由于使用效果不理想，很快就更换为詹姆斯·莱瑟伍德少尉设计的3～9倍的ART瞄准镜以及瞄准镜座。

2. 改进和发展

实际上，斯普林菲尔德公司开始只是军用剩余步枪的经销商，后来汤姆和丹尼斯·路易斯在父亲的支持下开始复制M14步枪的半自动型，并决意命名为"M1A"。在过渡阶段，他们

M21狙击步枪

生产了许多种不同形式结构的该种步枪，现在这种步枪有标准型、新装填方式的标准型、侦察班用型、国家级比赛型和高级比赛型。M21步枪有各种型号，各种型号的内部零部件可以互换。图中的这支M21狙击步枪配有战术型枪托，M2两脚架和斯普林菲尔德公司的4～14倍政府型瞄准镜，这种瞄准镜主要与7.62毫米弹药配用。顺便指出，斯普林菲尔德公司有自己的瞄准镜生产线，称为专用瞄准镜生产线。对于7.62毫米弹药，该公司生产了第一、第二、第三代的政府型瞄准镜和6倍瞄准镜；对于5.56毫米弹药，生产了4～14倍政府型瞄准镜。当然，瞄准点公司对于大多数射手并不陌生，该公司的瞄准镜生产线在瑞典，销售却在美国，现由斯普林菲尔德公司负责销售，该公司的瞄准镜生产已有几十年的历史。图中的M21装有斯普林菲尔德的第三代政府型瞄准镜。这种瞄准镜具有特有的测距系统，测距系统采用了6种不同的测量规格，这种革命性的测距系统使射手在不改变测距效果的前提下可瞄准任何背景内的目标，更增加了射击的精确度。这种瞄准镜同所有的斯普林菲尔德政府型瞄准镜一样，它的特色是具有一个获得专利的内部气泡水准，从而使射手可以把枪始终保持在左右处于水平的状态，而不至于使枪左右倾斜。瞄准镜上具有横向（风偏）和高低调整系统，其目镜也是一种特有的多层镜片式，使射手即使在接近黑暗的环境中也能清楚地瞄准目标，而这一点在低质量的瞄准镜上是做不到的。这种瞄准镜还具有使用寿命的保证，可防雾、防水、防震。为了使瞄准镜能牢固地固定到枪上，斯普林菲尔德公司还专门生产了特别宽的30毫米瞄准镜固定环和公司称为"M1A"的第三代瞄准镜座。该枪（M1A）使用的M2两脚架与M14步枪最初的两脚架相同，装在枪管上，但是用这种方式固定的两脚架稍不注意就会使枪的左右产生倾斜。另外斯普林菲尔德公司还提供一种"哈里斯"两脚架，不过要付额外的费用，因为采用这种两脚架时需要由该公司在枪托内插入一个专用的双头螺栓，这种两脚架比M2能提供更好的射击

准确度。M21的这种战术型枪托比伽兰德枪托更重更大，枪托后端装有厚25.4毫米的黑色的起缓冲作用的枪托底板，枪托后部装有通过旋钮可调节上下高度的贴腮板，这种可调式的胡桃木战术型枪托代号为"DA9121"。枪管长558.8毫米，系"道格拉斯"优质枪管，作为一种选择，也可提供"哈特"不锈钢枪管或"克雷依杰"枪管。枪全长为1120毫米，不带瞄准镜时枪全重为5.11公斤，加上瞄准镜时，枪全重至少增加1.36公斤。与斯普林菲尔德生产的其他步枪一样，该枪采用导气式的自动方式和回转式枪机。该枪采用空气冷却和半自动发射方式，使用弹匣供弹。前瞄准装置为国家级比赛中常用的带护翼的片状准星；后瞄准装置是具有觇孔型照门的表尺，并具有在半分钟内就可进行横向（风偏）和高低调整的旋钮。由于美国法律的限制，该枪的运动步枪型现在一般使用5发容量的弹匣。但该枪的标准弹匣容量是10发，还有一种伊利诺伊州司令部禁用的20发容量的弹匣。用于军事比赛的该枪采用两阶段式的扳机，扳机力为2.04公斤。斯普林菲尔德公司称M21是执法狙击手的终极武器，在世界各地的特种精英小组行动中发挥了积极作用。至少它曾是美国陆军和以色列军队的得力武器，并在战争中得到了很好的验证。

3. M21与M14的其他区别

M21狙击步枪

M21的枪管是经严格挑选出来的，并经过测量仪器的精确测量，保证符合规定的制造公差，枪管内膛不镀铬；使用玻璃纤维黏合剂将机匣固定于枪托上，枪管和机匣结合好后，用环氧树脂封固。活塞和活塞筒是手工装配，且都抛光，动作可靠，同时能避免火药残渣积存。导气箍和下套箍牢固地结合为一体。发射机构用手工装配并抛光，以利击锤解脱，扳机拉力为19.99～21.07牛；枪口的消焰制退器经铰孔，消除了偏心误差。可以外接消声器，不会影响弹丸的初速，但能将泄出气体的速度降低至音速以下，使射手位置不易暴露。

1969年12月后，XM21已经被非正式地称为M21，不过直到1975年才正式定型为M21。在整个越南战争期间，美军共装备了1800支配ART瞄准镜的M21。在一份美国越战杀伤报告中记载，半年内，一个狙击班共射杀北越军1245名，耗弹1706发，平均1.37发弹射杀一个目标。

M21的消焰器可外接消声器，该消声器不会影响弹丸的初速，但能把泄出气体的速度降低至音速以下，使射手位置不易暴露。在越战中，美军狙击手就经常采用一种被称为寂静射杀的战术，他们在夜间行动，事先埋伏在稻田里，使用消声器和夜视瞄准具射击200～300米距离上的目标，并发射一种初速小于330米/秒的亚音速步枪弹。关于寂静射杀术有这么一个战例：一个班的北越士兵在深夜沿着小树林潜行，突然领头的倒了下去，他们都有作战经验，立即卧倒并滚到沟里去。大约15分钟后，另一个北越士兵起来去捡死者的枪，结果又倒了下去。于是传出了美国人使用了激光武器和制导枪弹的消息。

4. 性能数据

枪全长	1120毫米	枪管长	639毫米	枪重	5.11公斤
弹匣容量	10发、20发	最大有效射程	800米	口径	7.62毫米

M24狙击步枪

1. 简介

M24狙击武器系统简称M24 SWS，是雷明顿700步枪的军用版衍生型。

从1965年开始，美军在越南战争中，狙击步枪的质量才有所提高，当时已经采用了7.62×51毫米NATO北约标准弹。不过美国陆军很快注意到，在M14自动步枪上加装M84型2.2倍瞄准镜改造而成的狙击步枪并不适用，而从M14派生的M21狙击步枪又出笼太慢。

直到越南战争后期，M21狙击步枪才成为美国陆、海军通用的狙击步枪。该枪的枪管比M14步枪枪管稍重，使用特种枪弹，弹匣容弹量20发。配有两脚架，射击稳定性好。扳机力小而均匀，在300米距离上可以将10发枪弹命中在直径为15厘米的圆内。采用ART自动测距瞄准镜，调整瞄准镜的倍率中可以读出看到目标距离，转动倍率环的同时可以调整瞄准点，装填射角。

1987年以后，美国开始装备M24式狙击步枪，这支步枪逐步取代了陆军其他的狙击步枪，而海军陆战队早在1970年就用上了性能更加优良的M40狙击步枪。

1988年被美国陆军正式采用，并命名为M24。M24狙击步枪还装备了以色列国防军。M24之所以被称为"武

M24狙击步枪

器系统"，因为它不仅仅是一把步枪，还包括M3望远式瞄准镜，哈里斯S型可拆卸两脚架等其他配件，被称做"美国现役狙击之魂"。

2. 基本特征

M24由著名的雷明顿700 BDL型步枪衍生而来，继承了雷明顿700系列步枪闭锁可靠，枪托与机匣配合紧密，精度高，线条流畅，外形优雅的一贯优点。采用加长版旋转后拉式枪机，因为在设计之初，曾打算采用威力更大的0.30～0.60斯普林菲尔德步枪弹（7.62×63毫米），0.30～0.60步枪弹是二战时美军的标准枪弹，尽管仍在美军武器采购名单之列，但技术已经陈旧过时，后来采用更短的7.62×51毫米北约标准步枪弹，这样枪机就显得太长，据说在早期的型号中，如果子弹不能牢固地贴住弹匣的后壁，就会引发供弹故障。

钢制机匣为圆柱形，不仅可以简化加工工艺，还可与枪托里铝制衬板上的V形槽结合。从枪托的一端延伸到另一端，恰好为3个背带环座（前托上2个，后托上1个）、弹仓底板和扳机护圈提供结实的支点。机匣和枪口处装有基座，以便安装机械瞄具。

该枪采用H-S Precision公司的PST-11型枪托，由凯夫拉石墨合成材料制作，前托粗大，呈海狸尾形。枪托上还有较窄的小握把和安装瞄准镜的连接座。所有金属件表面都是黑色，不反光，和枪托相匹配。这个枪托还有一个令人诟病的致命缺陷：为减轻重量，枪托的内核采用了发泡塑料，而这种材料具有吸湿性，携带武器渡河或者被雨水淋湿，枪托就会增重，破坏原有的平衡性。

该枪枪托上有可调托底板，其伸缩范围为50.8毫米。顺时针旋转厚环，枪托伸长；逆时针旋转厚环，枪托缩短；旋转薄环向厚环靠近，枪托锁定；旋转薄环远离厚环，枪托松开。随后的事实证明，这个薄环锁紧装置是一个失败的设计，因为在锁紧的过程中，它的旋转会引起枪托底板前后滑动，射手不得不重新做出调整。

M24狙击步枪

M24枪管由416R不锈钢制成，重型，完全自由浮置，发射M118特种弹。为了提高发射M118特种弹的弹道稳定性，M24的枪管有5条右旋弧形膛线，膛线缠距改为285.75毫米。

该枪容弹量为5发，弹仓供弹，要

从打开的抛壳窗一发一发往里压弹，弹仓底板是铰折式，可打开快速再装弹，解脱按钮装在扳机护圈的前部。

最初的标配瞄具为刘波尔德Ultra M3A型10×42毫米固定倍率瞄准镜，带圆形密位点的蚀刻玻璃分划板。1998年起改用成本更低的刘波尔德Mark 4 LR/T M3型10×40毫米固定倍率瞄准镜，LR/T是Long Range/ Tactical的缩写，意为"远程/战术型"。

美军还为M24 SWS配发新型的Leupold Mark 4型3.5x～10x可变倍率战术瞄准镜，以取代老式的Leupold M3型瞄准镜。

M24同时配有可拆卸的备用机械瞄准具，由Redfield-Palma国际公司生产，结构仿照射击比赛运动步枪的精确射击瞄具，安装在枪管的前端和后端凹槽。虽然比自动步枪的机械瞄准具更精确，但是视野狭窄，需要花费更多的时间进行训练。

依据美国陆军野战规范FM23-10，M24在550米距离，10发射弹最大散布是305毫米。而依据美军规范MIL-R-71126，M24的精度试验必须采用M118特种弹，并安放在专用枪架上射击。

3. 改进及衍生型号

1991年海湾战争中，美军突击队员和特种分队曾使用该枪。为了耐受沙漠恶劣的气候，M24特别采用碳纤维与玻璃纤维等材料合成的枪身枪托，可在－45～+65摄氏度气温变化中正常使用。

2009年5月，美国陆军对现役的M24步枪进行改造，主要有：改造或更换枪管，使它能发射 Mk 248（DODIC A191）型0.300 Win Mag步枪弹；用MIL-STD-1913皮卡丁尼导轨取代现有的韦弗式导轨，并增加前置导轨，可以在望远式瞄准镜前端加装AN/PVS-26（NSN 5855-01-538-8121）型像增强仪；换装可卸式盒式弹匣，同时更换了新型枪托，枪托长度和贴腮高度可调节；枪口加工螺纹，可以安装消音器；更换现有的望远式瞄准镜，改为新式的可变倍率瞄准镜。

M24的衍生型号如下。

M24 SWS：其狙击武器系统被骑士武器公司的M110半自动狙击系统取代，但直到2010年2月美国陆军仍在向雷明顿公司采购M24步枪。

M24狙击步枪

XM24A1：美国陆军没有采用该枪，因为担心在战场上无法获得这种特殊的弹药。

M24A2：它是雷明顿公司对M24步枪进行的重要改进之一。A2型使用10发可卸盒式弹匣，顶部和侧面安装了MIL-STD-1913皮卡丁尼导轨，枪管经过改进，可以安装OPS消音器，新型枪托可以调整长度，并加装可调式腮垫，通过更换新的枪托，并添加可卸弹匣接口，现有的M24都可以改装成M24A2型。

M24A3：配有5发可卸盒式弹匣。可以安装刘波尔德8.5-25×50毫米可变倍率瞄准镜。另配BUIS可卸式备用机械瞄具，可安装在皮卡丁尼导轨上。

4. 基本数据

全长	1092毫米	枪管长	610毫米	枪重	5.4公斤
弹匣容量	5发	有效射程	800米	初速	805米/秒

M25狙击步枪

1. 简介

M25狙击步枪最初是由美国陆军特种部队的第10特种大队的汤姆·柯柏上士设想的一种M21狙击步枪的改进型，由美国陆军和海军联合研制，1991年美军把这种改进后的M21正式命名为M25，主要供应美国陆军特种部队和海豹突击队，在1991年海湾战争期间，海豹突击队就使用M25参与实战。

2. 特点

美国特种作战司令部将M25列为轻型狙击步枪，作为M24 SWS的辅助狙击步枪。M25保留有许多M21的特征，都是NM级枪管的M14配麦克米兰的玻璃纤维制枪托及改进的导气装置，但M25改用Brookfield而非原来的Leatherwood瞄准镜座，并用Leupold的瞄准镜代替ART1和ART2瞄准镜，新的瞄准镜座也允许使用AN/PVS-4夜视瞄准镜。最早的XM25步枪的枪托内有一块钢垫，这个钢垫是让射手在枪托上拆卸或重新安装枪管后不需要给瞄准镜

M25狙击步枪

重新归零，其设计意图与H-S Precision公司为M24 SWS生产的精密枪托类似。但定型的M25取消了钢垫而采用麦克米兰公司生产的 M3A枪托。第十军工自动化科技有限公司和奥普斯等离子体科技有限公司一起为M25设计

了一个消声器，使步枪在安装消声器后，仍然维持有比较高的射击精度。

M25并不是用于代替现装备的旋转后拉式枪机狙击步枪，而是作为狙击手的支援武器。美国特种部队认为，用M25作为狙击小组的观瞄手武器比M16/M203的组合更佳（美国陆军和海军陆战队的狙击小组中的观瞄手通常是使用这种组合作为支援武器），因为它能够准确地射击500米外的目标，另外M25也可以作为一种城市战的狙击步枪使用。

3. 基本数据

全长	1125毫米	枪管长	639毫米	枪重	4.9公斤
弹匣容量	10发、20发	最大有效射程	900米		

MK11-0型狙击步枪

1. 发展历程

20世纪90年代，美国海军提出一种狙击步枪的需求，因此诸多武器制造商竞相参与，但又相继纷纷落选。正在此时，一支高精度狙击步枪SR-25出现了，它是尤金·斯通纳在其生命即将结束的最后几年设计出来的，后来奈特军械公司总裁里德·奈特进行了进一步的开发和研制。该枪于1995年出现在民用武器市场上，一经推出立刻引起了人们的极大兴趣，成为一支令人喜爱的武器。

就在SR-25狙击步枪推出后不久，海军陆战队射击训练大队就对其进行了测试。测试目的是看检测是否可以充当海军陆战队狙击手的后备武器，或者成为侦察员手中的武器。当时每个海军陆战队的狙击手配备的都是经过改装的雷明顿700型步枪。

经过测试后，只有美国陆军购买了一部分SR-25狙击步枪配发其特种部队。据一位已退役的海军陆战队队员说，SR-25狙击步枪之所以未被采用，是因为其射击精度与当时他们装备的旋转后拉枪机式武器性能差不多。

无论原因如何，SR-25狙击步枪却被其他许多国家的政府看中并定购，在

MK11-0型狙击步枪

世界各国狙击步枪

本国部队进行试验。看到这一情景，美国海军又将该枪提到了议事日程，他们比较喜欢该枪的设计理念，但是困扰他们的仍然是老问题，因此提出是否能将该枪进行进一步改进。为此里德·奈特和他的同事们又推出了一款专为海军设计的MK11-0型7.62毫米狙击步枪。

2. 结构特点

MK11-0型狙击步枪在外形上与SR-25没有什么区别，但内部结构却进行了很多改进。为了适应海军需求，奈特军械公司提出了一种全新的改进方案，其中包括击针、抛壳挺、抽壳钩和抽壳钩簧以及一个经改进的供弹斜面。这次改进还包括一个全新设计的枪机机构、新式的枪管节套和一个托弹簧。

该枪的托弹簧也进行了重新设计，因此射手可以在弹匣中装满20发枪弹。过去为了不使托弹簧承受的压力过大，只能装18发枪弹。

MK11-0型狙击步枪还配有一个3.5～10倍可变倍率刘波尔德瞄准镜。该枪的环形瞄具座上方还有一个奈特公司特有的导轨，它允许该枪再安装一个瞄准装置，如红点式瞄具或类似的瞄准装置。

据说MK11-0型狙击步枪配备的KAC007型奈特瞄准装置可以使白光瞄准镜具有夜视能力。该瞄准装置是由奈特军械公司和光学系统技术公司合作开发的一种产品。虽然它比大部分超小型瞄准镜要大一些，但是由于其采用了先进技术，使之在缩小外形尺寸和减小质量方面具有很大的优势。作为一个专门设计的狙击步枪瞄准镜，它可安装在白光瞄准镜或反射式瞄准镜前方，其出瞳直径很大，因此通过光学系统所看到的图像很大，并且视差很小。其调焦范围为25米至无穷远，试验表明，即使完全浸没在20米深的海水中，它仍能正常使用。其全长184毫米，直径76毫米，重量不到1公斤。

MK11-0型狙击步枪满足了美国海军对于武器发射M862军用比赛型枪弹或M118 LR标准枪弹的精度要求。

目前大约有400多支MK11-0型狙击步枪装备部队。

该狙击步枪带空弹匣，不带瞄准具、带适配器时重量为4.47公斤，装满20发标准的M118 LR弹时总质量增加0.73公斤。

专门为海军设计的MK11-0型狙击步枪还包括一个枪口消声器。大部分武器的消声器是拧在枪口处的，而该枪的消声器是套在枪管上，并且靠一个推杆销固定在枪管的凹槽中。这是一种隔板式消声器，它可将枪口的峰值声压级降低28～32分贝。安装十分快捷，并且推杆销将其固定得很牢固。该消声器全长311毫米，重量仅0.87公斤，全部由不锈钢制成。其被命名为SR-25 QD型消声器，"QD"的意思是"可迅速拆卸"。据奈特公司说，这种消声器的使用寿命比该枪枪管的寿命还要长，至少达到1万发。

MK11-0型狙击步枪的有效射程是1000米。该枪采用一根长508毫米的枪管，全枪长1米。枪管内有5条膛线，右旋，导程为280毫米。奈特公司对枪管的加工把关很严。他们对海军的承诺是，每支狙击步枪的射击精度都要精确到角分。

MK11-0型狙击步枪还设计有机械瞄具，可调的觇孔式照门和准星都置于机匣顶部。如果刘波尔德瞄准镜无法使用或者需要使用机械瞄具时，只需卸下刘波尔德瞄准镜，按下位于准星上的弹簧钮，准星就会弹起，自动到位，觇孔式照门用手扳起。

MK11-0型狙击步枪的托底板与美国伽兰德M1步枪的托底板有异曲同工之处。它们的枪托底部都有一个护盖，且可以打开，以便利用枪托内部的空间存放清洁工具及其他附件。

3. 枪的维护

关于MK11-0型狙击步枪的射速有一些明确的规定。首先，在没有必要进行快速射击或者当枪管或消声器过热时，就应停止射击。MK11-0型狙击步枪可以实施高速射击，但是如果滥用它的这种能力，那么就会导致枪管的寿命提前结束，同时还会影响其射击精度。在以不超过5发/分钟的射速进行了4分钟的持续射击后，需要拉开枪机冷却2分钟。射击100发枪弹后，该枪需要进行彻底冷却之后，才能进行再次射击。

这种处理方法会延长枪管的使用寿命，同时还有助于发挥其最好的射击精度。在战斗中，也许需要以最高的射速进行持续射击，但是在日常的训练中，应该尽量避免这种情况的发生。

MK11-0型狙击步枪的制造商还提出了一些不利于该枪使用的天气条件。例如在北极或其他寒冷地带，射手戴手套进行射击时一定要注意，戴手套的手指伸进扳机护圈里时，要防止偶然扣动扳机，避免意外开火。事实上，MK11-0型狙击步枪的扳机护圈是可以拆卸下来的，但是这项工作只有专门的军械维护人员才能做到。

在寒冷的条件下，应该保持弹匣和枪弹的干燥。湿气会凝固并且结冰，从

而导致故障。如果可能，射手应该每隔30分钟就将枪弹退出弹匣，用手捂热，防止其结冰。

在湿热的热带丛林环境中，射手必须经常对枪做防腐保养，而且频率要比日常更高。奈特公司建议在MK11-0型步枪的金属表面涂上一层薄薄的润滑剂。在这种环境下，射手也应该每天卸下弹匣、枪弹和托弹簧，并且对其进行检查。在重新装填前，一定要用干净的布将枪弹擦干净才行。注意枪弹上绝对不能涂润滑剂。

在带着步枪涉渡河流或者雨水进入枪膛之后，必须将枪进行分解，然后将枪管和弹膛擦拭干净。如果步枪曾经浸没在水中，那么不仅要将其擦干净，而且还要再涂上润滑剂。

MK11-0型狙击步枪

在实际的战斗环境中，时间可能不允许射手对枪膛进行详细清理，如果装枪口帽，就将其取下，然后将枪口向下，使水从枪口处流出。随后释放拉机柄，装填一发枪弹，盖上防尘盖即可。

经常在沙漠中作战的人都知道，那里的环境通常都是干燥、炎热并且黄沙漫天，在有些地方又是出奇的寒冷。无论在什么样的沙漠环境中，千万记住一定不要在枪的表面涂润滑剂，除非已经出现很明显的锈迹。但是枪内部的活动部件还是应该适当地涂上润滑剂。

在跟踪目标或沿堑壕行进时，枪口帽可以防止沙尘进入枪膛。如果条件允许，还可以使用背包来携行，并使用弹匣袋来保护弹匣和枪弹。

奈特公司建议，在弹膛中没有枪弹时应闭锁枪机，以便使步枪的机匣内部保持密封，防止灰尘和沙子进入。在后方地区时，弹匣内不要装填枪弹，防尘盖也应该盖上。

在热带沙漠作战时，对枪弹的保养是十分重要的，瞄准装置也同样如此。这两者都要避免太阳光的直接照射。目前已经发现，枪弹被太阳光照射温度升高后，会影响射击效果。

所有这些警告和提示可能会让人觉得斯通纳MK11-0型狙击步枪是一支十分敏感和娇贵的武器，但事实并非如此。它的制造工艺没有那么精细，但它毕竟是一种精确的工具，因此使用起来需要细心维护。它不是那种在堑壕中对付敌人的武器，也不能在没有任何保护措施的情况下，在泥泞的地面或潮湿的沙漠中被随意地拖行。

MK11-0型狙击步枪的真正用途是：在较远的距离上对敌军士兵或特工进行隐蔽射击。

4. 基本数据

全枪长	1003毫米	枪管长	510毫米	全高	260毫米
枪重	4.47公斤	战斗全重	7公斤	KAC消声器重量	0.87公斤

M99狙击步枪

1. 简介

M99是巴雷特公司于1999年推出的新产品，别名BIGSHOT，英文意为"威力巨大，一枪毙命"。M99的旋转后拉式枪机是重新设计的，枪管也是重新设计的，巴雷特公司以往设计的枪管是29英寸长，但M99的枪管增加到33英寸，为了增加枪管重量以最大限度地增加远距离的精确性，没有再在枪管表面刻槽。机匣顶部有RIS导轨，用以安装各类瞄准镜。M99没有弹匣，巴雷特公司设计这支只能单发的枪是为了提供一支前所未有的高精度0.50狙击步枪。

2. 结构特点

M99系列采用多齿刚性闭锁结构，非自动发射方式，即发射一发枪弹后，需手动退出弹壳，并手动装填第二发枪弹。该系列使用12.7×99毫米大口径勃朗宁机枪弹，必要时也可以发射同口径的其他机枪弹，主要打击目标是指挥部、停机坪上的飞机、油库、雷达等重要设施。

由于该枪采用刚性闭锁，即在还没有人为开锁之前，枪管以及机匣里的枪机可以看做是刚性连接，弹头飞出枪口时，根据作用力与反作用力原理可知，整个枪（包括枪机与其他不可动机件）是作为一个整体向后运动的，全枪的向后冲力（相当于射手肩部所承担的后座力）较同类非自动结构的后座力大得多。如果不采取减小坐力的措施，射手则很难承担如此大的后座力。为此M99系列采用了高效的缓

M99狙击步枪

冲器，有效地减小后座力，使之达到射手可以承受的范围。

由于M99采用的是刚性闭锁，能够有效地避免全枪射击时产生的振动对射击精度的影响，但其负面的影响就是射击时由于枪机固定不动，弹壳对枪机的作用力来得更大更猛。由于大口径枪弹的能量较小口径枪弹的能量大几十倍，所以对枪机寿命以及构件的破损也有较大的影响。鉴于此，该枪的闭锁结构由以前M82的三齿闭锁改为多齿闭锁，增大枪机与节套的有效接触面积，使后座力有效地分散在枪机的受力面上，避免枪机及机匣受损，弥补了由于采用刚性闭锁所带来后座力较大的缺点，但精度却丝毫不马虎。在2001年国际大口径狙击步枪射击比赛中，M99曾创造了世界纪录915米距离，5发射弹的弹着点均在104毫米直径的圆内。

M99外形美观庄重，结构简单，只要拔下3个快速分解销，就可以完成不完全分解，修理和保养十分方便。

M99是新定型的出口型反器材步枪，该枪刚一露面时，很容易让人觉得它与英国AI公司的AS50深有渊源，两者的外形似乎很接近，均为气吹式原理，尤其是导气管外都有个隔热套保护，防止导气管加热上方空气而影响瞄准。但如果仔细对比一下，会发现M99与AS50只是部分相似，实际可区别的外形特征很多，而内部结构的区别就更多了，就好像AK47与Vz58一样。M99的内部就好像放大的M16，回转式枪机闭锁；而AS50则像放大的FAL或SKS，用偏移式闭锁以减小径向尺寸。

M99的机匣看起来似乎比AS50的要厚实，但这是因为要防止气体污染枪机而把导气管向后延长了，枪机框上部增加了一部分，包住导气管末端在整个枪机行程中不外露，这就是机匣后面显得高的原因。再加上机匣是由一大块铝合金冷加工而成，体积必然较大，但在重量上，M99却比AS50要轻2公斤。

美国M99狙击步枪士兵实弹演练

该枪枪管采用了85式12.7毫米高射机枪枪管的特殊膛线，并进行了优化设计，具有良好的耐磨、耐烧蚀等特点。设计者还逐一改进了其他部件，如优化了两脚架组件的支撑位置及弹匣总体尺寸，使全枪结构更加紧凑可靠。

采用新材料和新工艺，减轻全枪重量是目前轻武器设计要攻克的关键难点

之一。在M99的攻关过程中，设计者精心分析了每一个零件的受力情况，不断尝试更轻、更高强度的材料以及先进的制造工艺，使新材料制成的零件性能不减而重量锐减。如机匣是用航空铝合金制成，内外表面采用阳极氧化后并静电喷塑，具有良好的耐磨、耐烧蚀等特点。枪尾采用铝合金封闭机匣尾端，以承受枪机后座到位时的撞击。试验结果表明，采取这些改进措施后，M99的性能更加突出，可以与世界同类武器相媲美。

3. 加消音器的M99

M99采用枪管短后座原理，半自动发射方式。枪管短后座原理是著名枪械设计师勃朗宁开发的，而巴雷特将这种原理改进，使之适合作为肩射武器的自动原理。

M99狙击步枪

M99自带机械瞄具，也可以安装光学瞄具。原枪配用巴雷特公司的10倍瞄准镜，而海军陆战队所用的则是与M40A1相同的10倍Unertl瞄准镜。

M99可以迅速地分解成上机匣、下机匣及枪机框3部分。分解销位于机匣右侧，一个在弹匣前方，另一个在枪托底板附近。上下机匣是主要部分，为了保证其强度及耐磨性，选用了高碳钢材料。下机匣连接两脚架、枪手底板及握把，其内部包括枪机部件及主要的弹簧装置。上机匣主要包括枪管部分，即枪管、枪管复进簧和缓冲器。焊接在上机匣上面的是机械瞄具、光学瞄准镜座及提把，而与内部焊接在一起的是枪管衬套及枪管止动销。击发后，火药气体推动弹头沿枪管向前运动，同时又作用于弹壳底部，将推力传给枪机，再由枪机闭锁突笋传给枪管节套，最后通过枪机体传到枪机框后部。这样可以分散射击时产生的振动，避免损坏闭锁机构。

4. 缺陷不足

针对M99重量大的缺点，巴雷特公司又研究了M82A1LW，即轻重量型M82A1，比标准型的M99半自动狙击步枪轻约2.3公斤，上机匣和两脚架改为铝质材料，枪机和机框重量减轻了约0.5公斤，枪口制退器和一些小零件改由钛合金制成品。

M99的后座力很小，这是因为一部分后座能量作用于枪管、枪机和枪机框的向后运动及压缩复进簧，另外枪本身也吸收了部分后座能量，但最主要还是其高效的枪口制退器减少了大部分的后座力，这就保证了射击时的舒适性及射

击精度。枪托底部还有一个特种橡胶后座垫，据说后座感觉比12号口径的霰弹枪要好，而后座力明显比7.62毫米口径的步枪要小。不过这个高效制退器有个缺点，就是每发射一发枪弹时，从制退器喷出的火药气体都会在射手附近卷起大量尘土和松散颗粒。

M99半自动狙击步枪的可调两脚架与M60机枪通用，握把则与M16A2步枪通用。提把装在护木上面，位于瞄准镜前方。在M99弹匣前方还可以安装巴雷特公司研制的伸缩架座，这个架座可以使M99架在三脚架或车、船等载具上，而且可以在后座过程中充当缓冲器，防止车体架座受到损坏。

5. 性能数据

全枪长	1447.8毫米	枪管长	736.7毫米	枪管缠距	381毫米
全枪重	12.9公斤	有效射程	1500米	初速	800米/秒

阿玛莱特AR-50狙击步枪

阿玛莱特AR-50是一支由美国阿玛莱特研制及生产的单发旋转后拉式枪机重型狙击步枪（反器材步枪），发射12.7×99毫米北约口径制式步枪子弹。

阿玛莱特AR-50步枪在1997年开始设计，并在1999年首次公开，同年开始对民间发售。

阿玛莱特AR-50步枪采用沉重的重量和一个大型凹槽型枪口制退器以吸收大量的后座力，使其后座力变得非常温和。阿玛莱特AR-50是一支单发的手动狙击步枪，全重约16.33公斤。AR-50采用特别厚的刚性枪管，以尽量减少发射时迅速来自枪管的后座力。

机匣采用阿玛莱特独特的八边形设计，增强了机匣对抗弯曲的能力，并安装在框架型铝制整体式前托上。机匣就在多层式V形枪托的前方，而枪管自由浮动于护木的上方，内有8条右旋1：15的膛线缠距。AR-50的枪托可分为三

阿玛莱特AR-50狙击步枪

个独立的部分，各部分由铝制成，而甚有特色、挤压而成的护木和支架经过加工并以螺钉固定的枪托可以拆除，可以选择安装具有软橡胶缓冲和可调节的枪托底板，以及高度可调的托腮板。前托底下更装上了一个M16式手枪握把。

　　虽然AR-50是一支精度很高的大口径步枪，但在1999年后，巴雷特M82系列的0.50口径将AR-50的地位取代，因为它在战斗期间远比AR-50有效。AR-50的缺点就是无法在短时间攻击多个目标，但巴雷特M82系列却可以，而且AR-50的重量太大。

　　目前AR-50只是给民用的射手所使用，例如"长距离射击"或"精确依托射击"项目时。AR-50生产目的是占领低端市场，其销售价格较同类型武器下降约50%。与许多图片所描述的相反，事实上AR-50并没有两脚架和瞄准镜（或夜视镜）。

M110狙击步枪

1. 简介

2001年9·11事件后，美军在全球的反恐行动不断升级，但战争不仅没能解决恐怖主义问题，反而"越反越恐"，

M110狙击步枪

导致美军自身陷入到冷枪、冷弹的泥潭中。无奈之下，狙击作战成为美军有效的反恐作战方式之一，狙击步枪的身价也随之水涨船高。

　　美军现役的狙击步枪是M24狙击武器系统（SWS），存在武器较长、不能快速射击的不足。另外一些配备高精度型枪管的M16步枪和由老式M14步枪改进而成的狙击武器也都有不尽如人意之处，因此寻求新型狙击步枪成为美军的迫切需求。2006年底，美国奈特公司研制的SR-XM110型狙击步枪系统在经受重重考验之后正式"走马上任"，成为美军制式狙击步枪家族中的新成员，定型为M110。

2. 结构特点

M110半自动狙击手系统（SASS）是按一个系统进行设计的，总体匹配较好，主要包括M110狙击步枪、刘坡尔德可调倍率的白光瞄准镜、通用夜视瞄准镜、哈里斯可拆卸两脚架、枪箱、携行袋、PAL弹匣袋、枪口装置、备用的机械瞄具、8个弹匣（10发容量和20发容量的弹匣各4个）、M240机枪配用的空包弹助退器、清洁/维护工具、使用手册等，系统共重35.5公斤。为防止被

热成像仪发现，M110半自动狙击手系统从武器到附件表面均为深土黄色，这种颜色也将成为美军的制式颜色。

M110狙击步枪采用气吹式自动方式，半自动发射。全长1028毫米（加消声器为1181毫米），枪管长508毫米，5条膛线，右旋，导程为279毫米，初速784米/秒，枪械寿命10000发，枪管寿命6000～7000发，空枪重4.87公斤、使用时重7.85公斤（含机械瞄具、瞄准镜、两脚架、20发弹匣及弹药、消声器）。

M110狙击步枪与MK11-Mod0最大的区别是导轨系统、枪托和枪口装置。MK11-Mod0上的是自由浮置式导轨，M110的则是加长型（URX）模块化导轨系统，直接固定在上机匣上，使导轨和机匣完全一体化，比以往的导轨（包括MK11-Mod0的浮动式导轨）更稳固，射击时的震动和重复装卸时产生的偏差很小，而且下导轨也可自由装卸。由于密封性加强，减少了泥砂进入护木内的概率。

3. 重重考验

M110狙击步枪

2004年11月17日，为满足城市作战需求，美国陆军装备开发技术研究中心（ARDEC）提出研制7.62毫米半自动狙击手系统（SASS）的要求，美军新型狙击步枪的选型正式拉开序幕。

参加这次美军新型狙击步枪选型的共有五家著名的军械公司，包括奈特、雷明顿、阿玛莱特等。进入最后竞争阶段的两支武器是奈特公司的SR-XM110和雷明顿公司的AR-10T。有意思的是，这两个方案均以AR-10机构为基础设计。其中SR-XM110从美海军海豹突击队的Mk11-Mod0狙击步枪系统改进而来，而AR-10T是在阿玛莱特AR-10半自动步枪的基础上配备了中型比赛级枪管。经过严格测试后，2005年9月28日，美军正式宣布奈特公司的SR-XM110狙击步枪胜出。2006年5月，按要求完成研制的XM110步枪开始进入使用测试阶段，15支样枪交付美军进行测试。随后奈特公司获得生产5年美军狙击步枪的合同。几个月后，奈特公司生产的新型狙击步枪正式服役。

奈特公司之所以胜出，和公司副总裁戴夫·卢茨先生有很大关系。卢茨是一位退役的海军陆战队中校，和军方有着很深的交往，对狙击步枪情有独钟并

狙击手传奇

有着自己独到的见解，而且在竞争时，凭其退役海军中校的身份提前获知了美军一些细节上的要求，从而帮助奈特公司在竞争中轻松夺魁。

但其他几家竞标公司对奈特公司的胜出不屑一顾。其中阿姆莱特公司的反应最强烈，将自己落选的狙击步枪命名为超级半自动狙击步枪并推向民用市场，运用了这样的广告语："根据美国武器选型的历史，选上的武器都不是最好的"，其挑战意味十分明显。

4. 发展历程

M110步枪实际上是一支有着正宗斯通纳血统的步枪。十几年前，斯通纳先生尚在人世时，奈特公司的总裁里德·奈特就和斯通纳合作研发步枪。1993年，在结合了斯通纳AR10步枪和AR15步枪结构的基础上，奈特公司推出了SR-25

M110狙击步枪瞄准装置

步枪。起初只在民用市场上销售，但其优异的性能很快引起了军方的注意。在SR-25步枪推出后不久，海军陆战队就对其进行了测试，目的是看它能否成为狙击手手中的利器，以取代当时配备的雷明顿700型步枪。

经过测试后，海军陆战队并没有采用该枪，只有美国陆军购买了部分SR-25狙击步枪配发其特种部队，送往索马里试用。该枪在国外受到了许多国家的青睐，从而促使美国海军又将该枪提到了议事日程上，请奈特公司专为海军设计一款狙击步枪，这就是后来的MK11-Mod0型7.62毫米狙击步枪。

海军型狙击步枪外形类似SR-25，只将枪管从610毫米缩短到500毫米，但在内部结构上却进行了很大的改进。为适应海军的需求，奈特公司的武器设计师们提出了一个全新的改进方案，包括击针、整体式导气环、抛壳机构、抽壳钩和抽壳钩簧以及经改进的供弹斜面。还包括一个全新设计的枪机结构、新式的枪管节套和弹匣簧。MK11-Mod0型狙击步枪在2000年左右装备部队。

此次奈特公司参加选型的SR-XM110狙击步枪完全以7.62毫米MK11-Mod0武器为基础改进而成，可谓是斯通纳步枪的纯正"血统"。

5. 基本数据

全枪长	1028毫米	全枪高	260毫米	枪管长	508毫米
枪口初速	784米/秒	最大有效射程	1000米	战斗全重	7.85公斤
弹药口径	7.62毫米	射击方式	半自动		

世界各国狙击步枪

MK12 Mod0狙击步枪

1. 简介

美国海军的MK12 Mod 0/1特种用途步枪（简称SPR）已经被美国陆军、海军和海军陆战队的特种部队在持久自由行动和伊拉克自由行动中使用过。SPR最初的意思是特种用途机匣，这个可更换的上机匣组成是属于SOPMOD升级计划的一部分，但当一支M4卡宾枪更换上这种机匣时，又成为另一种独立的武器系统，而不仅仅是SOPMOD的配件之一。因此SPR也表示特种用途步枪。SPR已经被海军定型为MK.12，海豹突击队在2002年开始接受这件武器，但陆军特种部队也使用这个命名。

MK12 Mod0狙击步枪

2. SPR计划

SPR计划是为美国陆军和海军的特种部队（NAVSPECWAR）提供一种有效射程比M4式卡宾枪远、长度比标准的M16A2/A4短的轻型狙击步枪。这种武器系统原本由马克·韦斯特罗策划，当时他在岩岛兵工厂工作，现在则在阿玛莱特任董事长。但目前SPR计划似乎已经与计划中的SOPMOD Block 4和海豹突击队"侦察步枪"一起取消了。原因是特种部队对这种"轻型狙击步枪"似乎不太感冒。曾有一名海豹队员说SPR"威力太弱，射程太近，不适合狙击任务"。实际上SPR与陆军的SDM-R和海军陆战队的SAM-R相同，也许是特种部队的突击行动讲求快进快出、不恋战，负责监视或侧翼警戒之类的作战人员宁愿选择带瞄准镜的突击步枪。如果是需要用到半自动狙击步枪的任务，他们已经有轻便、射程远和准确的MK11 Mod0了，所以像SPR这种不高不低的"中间型"狙击步枪根本就没用处。

虽然SPR步枪前途昏暗，但最近它仍然被发现在伊拉克军事行动的照片中出现。在民间，SPR步枪的仿制品也已经在美国的许多靶枪射手和收藏家之间流行起来，这样AR-15本身是很受靶枪射手欢迎的高精度步枪，改成SPR后，既进一步提高精度，外形又酷。

作为"持久自由行动"的一部分派驻菲律宾的美军特种部队已经采用了

SPR。

美国海军陆战队的武力侦察队在2004年的费劳杰战斗中，也装备了SPR。

MK12 Mod0狙击步枪

3. MK12的历史

MK12的准确历史仍在争辩当中，最初它是在4种或5种不同特征的型号之间反复变化。按4种前期型号的划分方法，分别有SPR Proto 1、SPR Proto 2、MK12 Mod0和MK12 Mod1；而另一种分类方法则分为SPR、SPR/A、SPR/B、MK12 Mod0和MK12 Mod1。下面将依第二种分类方式进行介绍。

4. MK12的构造

在不同的美军单位中装备了不同形式的SPR。美国陆军特种部队使用SPR的MK12 Mod 0型，而NAVSPECWAR人员则使用MK12 Mod1型。

（1）上机匣。上机匣最初是由柯尔特供应，有一部分来自迪玛科。然而也有一些意见认为上机匣是由阿玛莱特提供的，那么是不是阿玛莱特和柯尔特、迪玛科都同时供应MK12的机匣呢？总之这些上机匣是平顶型，但也有发现是用旧式造型的椭圆形辅助推机柄，另一部分是新式造型的圆形辅助推机柄。不过在其他方面的细节基本一样。

（2）下机匣。在SPR研制时期，Crane只是使用M16A1或M4A1的下机匣来装配原型枪。当海军型定型时，PRI公司开始装配他们自己的成品枪。最后的定型产品有多种选择，但决定标准的下机匣采用KAC的两道火扳机。

（3）枪管。457毫米长，1：7缠距，比赛级自由浮置式不锈钢重型枪管，一个OPS公司的枪口制退器和节套（也包括OPS公司的第12型消声器）一起安装在枪管上。枪管重量经过优化在确保最大精度的同时把重量减到最轻，均由道格拉斯枪管公司生产。这些枪管被设计成发射新的5克Mk 262弹。

（4）枪托。各型SPR使用过M16A1固定枪托、M16A2固定枪托、M4伸缩枪托和改进型Crane枪托。

（5）护木。所有型号都采用自由浮置式前托，护木不接触枪管，以消除枪管的不规则振动，从而增加射击的准确性。第一种SPR使用PRI Gen I 或Gen II碳纤维浮置式管状护木；SPR/A、SPR/B和MK12 Mod1都使用KAC M4

MK12 Mod0狙击步枪

Match浮置式RAS；MK12 Mod0使用PRI Gen Ⅲ浮置式管状护木。

（6）机械瞄具。最初的SPR使用早期的PRI上翻式准星并带一个调节高低的刻度盘，而现在的MK12 Mod0只使用PRI上翻式准星。SPR/A、SPR/B和MK12 Mod1使用KAC导轨上翻式准星。SPR和MK12 Mod0使用ARMS #40上翻照门。其他型号在后面使用KAC 600米上翻照门。

（7）光学瞄准镜。由于是模块化，光学瞄准镜（和其他几乎每件附件）都能按各个射手的喜好来安装，目前这种武器系统经常使用3.5～10×40毫米 Leupold LR M3（SPR/A），2.5～9×36毫米 TS-30（SPR/B），或3～9×36毫米 TS-30 A2（MK12 Mod0/1）等中距离照明分划的白光瞄准镜。夜视瞄准镜也能安装。这些瞄准镜通常带防尘盖和Kill Flash的蜂巢形防反光装置。

（8）瞄准镜架。早期型号ARMS采用长导轨，被称为SWAN套，从护木前端一直延伸到上机匣尾端。SPR/A和SPR/B都使用KAC M4 Match FF RAS。一般用两个ARMS #22 Throw lever 30毫米钢环来安装白光瞄准镜。SPR/A、SPR/B和MK12 Mod 1使用ARMS #22高环，SPR和MK12 Mod 1使用ARMS #22中环。在护木下方安装ARMS #32 Throw lever两脚架安装座，可以快速装卸的哈利斯两脚架。

（9）消声器。消声器螺接在OPS公司的枪口制退器上，这是OPS公司的第12型SPR枪口制退消声器。

（10）弹药。SPR不配用标准的4克M855普通弹或M856曳光弹，而使用更精确的Mark 262空尖比赛弹。枪弹由Black Hills公司生产。第一批军用产品已经被定型为MK 262 Mod0，采用Sierra公司的5克空尖船形尾弹头。后来Black Hills公司生产了类似的5克OTM弹头，后来又由Nosler公司供应类似Sierra但有所改进的弹头，这种弹被命名为MK262 Mod1。2005年Sierra公司生产Nosler的改进弹头用来代替MK262 Mod1型中的Nosler弹头。

5. 民间的SPR克隆型

据说海豹突击队的"侦察步枪"最初是海豹的军械员自己动手做的，后来海军地面战斗中心克兰分部（NSWC-Crane）也开始进行改装，这些"侦察

狙击手传奇

步枪"是为海豹狙击手提供一种轻型的M4式狙击卡宾枪。当时对SPR计划正在进行，显然当时的海豹队员们对SPR的表现感到失望，所以才自己动手做更适用的武器。

MK12 Mod 0狙击步枪

由于目前"侦察步枪"仍然十分神秘，可以证实的图片暂时没有见到过，据说有些第一手资料中称其为"Recce步枪"（发音"Becky"）。具体的参数仍是未知的。据说海军水面作战中心打算生产更多的"侦察步枪"，但一些海豹队员认为是浪费精力和金钱，所以这项计划现在已经基本中止。但又有另一些消息说"侦察步枪"已经发展到绘制蓝图的阶段，就是说准备上生产线了。

这些"侦察步枪"最初只是自制的，采用406毫米长的不锈钢枪管，由里加精密枪管公司生产，弹膛由Compass Lake公司加工，缠距为1∶8，能射击任何规格的5.56×45毫米北约标准弹，包括M855或MK262。这些枪管具有M4式重型枪管的特征，后半段在66毫米的长度范围内直径为25毫米，然后缩窄到22毫米，在准星座下的直径为19毫米，然后一直延伸到枪口都是18毫米。枪管前端安装KAC QD消焰器，能安装KAC QD消声器。采用卡宾枪长度的导气系统。这些枪管装配在一个平顶上机匣上，保留了固定的准星、导气箍。

由于是自制的，因此整枪没有统一的规格，完全针对个人喜好来改进，所用的枪托有固定式（A1式和A2式）和伸缩式（最初的4个固定点和改进的6个固定点的柯尔特枪托，或Crane、SOCOM、LMT等新型枪托）。后来由Crane制造的"侦察步枪"据说采用浮置式护木，较常用的是KAC M4 Match RAS或较长的LaRue浮置式护木（保护枪管，并提供较多的位置安装战术配件）。据说不同的人各选择不同的后备机械瞄具，有KAC、ARMS和特洛伊工业等不同的商业产品。由于"侦察步枪"是供担任警戒或侦察任务的狙击手使用的，因此主要使用光学瞄准镜。

美国M40A3狙击步枪

1. 简介

1996年美国海军陆战队建议开发M40A3以替换M40A1。M40A3于2001

年开发完成，并出现于阿富汗及伊拉克战场上。

M40A3狙击步枪是以雷明顿M700高精度民用步枪为基础研制的非自动步枪，主要用于中等距离以上杀伤重要有生目标。

在海军陆战队狙击作战中，即使用力敲击该瞄准镜，其零位也会保持不变。该枪缺点是较重，装上瞄准镜后接近6.6公斤。

2. 结构特点

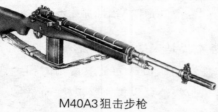

M40A3狙击步枪

枪机：M40A3仍然采用雷明顿M700的枪机座，但改为DD Ross公司制造的钢制整体式扳机护圈。该枪采用旋转后拉式枪机，枪机的后拉与前推操作较轻便。

枪管：采用 Schneider610 SS 比赛级重枪管，长25寸，6条膛线，缠距12寸，可装上消声器。

枪托：全部M40A3改用麦克米兰A-4玻璃纤维战术步枪枪托，军用绿色涂装（OD Green），自由浮置枪管，可调枪托底板及贴腮板。

夜间瞄准镜：可改用Schmidt & Bender 3 ～ 12×50 发光瞄准镜代替原本的MST-100 Unertl日间瞄准镜，安装在 Badger Ordnance Maximum 镜座后半部上，更可在前半部装上步枪用夜视镜。

M40A3狙击步枪

该枪配用S型可自由变向式哈里斯两脚架。

该弹仓为整体式，弹仓与枪身连成一体，容弹量5发，枪弹从抛壳窗装入弹仓。

该枪使用7.62×51毫米NATO步枪弹，也可使用美国M118LR7.62毫米步枪弹。

3. 实弹射击

全枪重量为7.5公斤，比M249米尼米机枪和MK43机枪都重。但在射击台上架起两脚架射击，感觉很平稳。可调式贴腮板使用方便，贴腮舒适，即使贴腮时也能方便地抛壳与装填。扳机比较灵敏，但扳机力没有想象得那么小，毕竟不是比赛用而是实战用扳机。

射弹散布 M40A3 狙击步枪发射美国 M118LR7.62 毫米枪弹时，在 914 米处的弹着点散布直径为 254 毫米。

美国海军引进 MK11-0 7.62 毫米狙击步枪，陆军引进 XM110 7.62 毫米狙击步枪，这两支枪都是奈特军事装备公司的半自动狙击步枪，取代了雷明顿 M700 系列非自动狙击步枪，只有海军陆战队依然坚持使用 M40 系列非自动狙击步枪。

M40A3 狙击步枪

在 2004 年 11 月伊拉克的费卢杰，美国海军陆战队的一名狙击手使用 M40A3 式狙击步枪狙击，射程竟然达 970 米，效果比预期的好。过去用 7.62 毫米 M40A1 式狙击步枪，遇空气潮湿会改变子弹的方向，遇干热空气又会造成子弹打高，提高命中率很难。

M40A3 狙击步枪

4. M40 狙击步枪各种型号对照

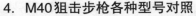

型号	M40（1966年）	M40A1（1977年）	M40A2（1980年）	M40A3（2001年）
重量	4.2公斤	5.5公斤	6.57公斤	7.5公斤
总长度	1117毫米	1117毫米	1117毫米	1124毫米
枪管	雷明顿镀铬枪管	乌黑氧化涂层不锈钢枪管	乌黑氧化涂层不锈钢枪管	Schneider SS 比赛级枪管
瞄准镜	Redfield，3～9倍	Redfield，3～9倍	Uneul，10倍	Uneul，10倍
枪托	核桃木	麦克米兰玻璃纤维枪托	麦克米兰玻璃纤维枪托	麦克米兰玻璃纤维枪托

TAC-50 狙击步枪

1. 简介

TAC-50 是由美国麦克米兰兄弟步枪公司在 1980 年推出的 0.50BMG 反器材狙击步枪。TAC-50 是一种军队及执法部门用的狙击武器，亦是加拿大军队在 2000 年起的制式"长距离狙击武器"，发射比赛级弹药的精度高达 0.5 角分。

2. 结构特点

TAC-50 采用手动旋转后拉式枪机系统，装有由里加精密枪管公司制造的

比赛级浮置枪管，枪管表面刻有线坑以减低重量，枪口装有高效能制退器以缓冲。50BMG的强大后座力，由可装5发的可分离式弹仓供弹。采用麦克米兰玻璃纤维强化塑胶枪托，枪托前端装有两脚架、尾部装有特制橡胶缓冲垫，整个枪托尾部可以拆下以方便携带。该枪采用手枪型握把，扳机是雷明顿式，扳机扣力3.5磅。TAC-50狙击步枪用的是12.7×99毫米 NATO 口径子弹，子弹高度和罐装可乐相同，破坏力惊人，狙击手可用来对付装甲车辆和直升机。

TAC-50没有机械照门及预设瞄准镜，而加拿大军队采用16倍瞄准镜。

3. 射击纪录

TAC-50狙击步枪

2002年，在阿富汗的巨蟒行动的中，五名加拿大狙击手参加了这一行动，任务中，很多目标都超出了使用狙击枪械1800米的有效杀伤距离，所以很多时候都需要第一枪后做偏差矫正。

创下纪录的是当时开枪的加拿大狙击手罗伯·佛朗下士，是隶属帕特丽霞公主麾下的加拿大轻步兵，使用TAC-50.50口径远程狙击步枪，距离2430米击中目标。总共开了三枪，第三枪命中。在巨蟒行动中，狙击手小队从加拿大带来的弹药用尽，于是改用了美军提供的弹药，狙击手发现美军弹药后座力更强，射程更远。阿富汗Shah-i-Kot山谷高度为海拔2432米，其较低的空气密度也令狙击步枪的最大有效射程增加。即使有0.5MOA的精度，在2430米距离上的散布也是很大，所以这一枪也是需要相当大的运气的。

当时观察员在望远镜中发现山崖上攀行的3名阿富汗军人，其中一名RPK机枪手背着很大的包裹；第一枪发射后，观察员报告失误；第二枪发射后，观察员报告好像打中了目标手拿的袋子，而这名基地武装分子竟然没有隐蔽；罗伯·佛朗觉得有可能成功，再次矫正后，第三枪击中目标。

由于巨蟒行动中包括罗伯·佛朗在内的加拿大狙击手的出色表现，他们都获得了美国军方颁发的铜星奖章，罗伯·佛朗现已退役，成为加拿大的一名警察。

美国哈斯金斯RAI500狙击步枪

哈斯金斯步枪，结构简单，采用旋转后拉式枪机，没有通常的普通枪托，而是在机匣尾部装有一个可调的肩托。在枪管下方有一根与机匣相连的管，一方面用于安装两脚架，另一方面也作为减小枪管摆动的稳定器。装弹时相当麻烦，必须将整个枪机从机匣里取出来，使枪弹贴着机头，然后将枪机连同枪弹一起推进机匣，并锁定，因此射速相当低。

1983年，美国海军少量订购了RAI500，最初交货约125支步枪（后来又订购了100支.50口径的麦克米兰M88步枪）。

这批步枪在贝鲁特、格林纳达、巴拿马、伊拉克及其他一些地方都曾使用过，可以说，RAI 500为很多的其他被美军采用的.50口径反器材步枪铺了路（例如各种不同型号的巴雷特步枪），但是RAI 500自己本身的命运却非常坎坷。在20世纪80年代期间，500型步枪的设计被RAI卖给戴西武器系统公司，然后又被卖给埃尔文·约翰逊军火公司。埃尔文·约翰逊军火公司销售的500型步枪被改称为AMAC-1500，但是当这家公司破产时，零件及生产机器再次被拍卖，然后AMAC-1500步枪由终极精确军火公司销售。杰里·哈斯金斯的前股东厄尔·雷迪克从1987年起受戴西公司所托，在RAI 500基础上进行研制，又提供了三种主要的"大口径"——.50BMG（12.7×99mm）、12.7×108mm和14.7×115mm口径型步枪，这三种不同形式的步枪被称为600型。Daisy 600型后来又被瑞迪克军火研制公司所生产，这家公司连同Daisy 600型步枪一起在2000年又被罗马防卫公司所收购，现在罗马防卫公司又推出了新的650型步枪，与600型不同的是采用了7发的可卸式弹匣和不必拆卸的手动枪机，不过由于采用弹匣供弹，因此机匣比500型和600型都更长更大，而650步枪也比500型和600型步枪重。

俄罗斯/苏联狙击步枪

VSK-94微声狙击步枪

1. 简介

VSK94微声狙击步枪是一种很受俄罗斯陆军侦察部队和反恐小分队欢迎

的狙击步枪，于1991年开始使用。它带上满弹匣子弹才重3.93公斤，比其他狙击步枪的体积明显要小，因而携带、使用都很方便。

VSK-94狙击步枪结构比较简单，工艺性也好，俄罗斯人称其为"游击队和特种分队得心应手的武器"。

2. 结构特点

VSK-94微声狙击步枪

该枪配有可更换的塑料枪托，枪托和小握把呈一个整体，底托有橡胶垫，使射击更为舒适；快慢机转换柄从机匣左边移到右边，左边的位置用于安装光学瞄准镜导轨座。

VSK-94发射9×39毫米SP-5、SP-6、PAB-9三种亚音速弹，初速不超过270米/秒，能够有效使用消音器，实现无声射击。在45～50米内，射击声音基本感觉不到。但是无声射击的优点也带来一些缺陷，主要是弹丸亚音速飞行限制了武器在400米的有效瞄准射击，尤其是对运动目标。VSK94狙击步枪也可在不消声的状态下射击，这使它具有战斗的灵活性。它也配有昼夜瞄准仪。但与VSS型特殊用途狙击步枪不同的是，VSK-94配备的不是综合消音器，而是抽取式消音器。取下消音器后，VSK-94型狙击步枪可以用做轻型冲锋枪。

VSK-94狙击步枪的另一个优点是可在无消音状态下射击。其消音器可拆，不必专门清洗。为不带消音器射击，设计者还提供了枪口螺帽和用于提高精度的枪口抑制器等附件。

该枪采用标准的PSO瞄准镜，瞄具上增加了一些瞄准分划和400米内测距线，刻度合理，用以瞄准发射各种9×39毫米特种弹，确保有良好的精度。它在300米内射击，几乎都不脱离胸靶。

实际上按要求，VSK-94狙击步枪要保证在100米内击中人体头部，在200米内击中胸部。在较远的距离上，由于弹丸初速所限，应该说不能很可靠地命中目标。

VSK步枪轻小、方便可靠，能用于近距无声战斗，也可连发射击，适合侦察部队和反恐怖小分队使用。不足之处是扣扳机太硬。

3. 基本参数

口径	9×39毫米	全长	932毫米	全枪高	280毫米
空枪重	3.5公斤	弹匣容量	20发		

V-94狙击步枪

1. 简介

20世纪80年代中期，苏联吸取在阿富汗战争中的战斗经验，开始研制12.7毫米大口径狙击步枪。苏联解体后，俄罗斯图拉仪表制造设计局在轻武器专家什普诺夫领导下，继续加速研制12.7毫米V-94自动装弹型狙击步枪，并于1994年首次公开展示其试验样品，1996年开始装备强力部门特种部队，成为俄罗斯第一种国产大口径狙击步枪。

2. 特点

V-94狙击步枪可以执行的战斗任务范围非常广泛，主要用于杀伤2000米距离内各种大目标，如运动中的、暴露的或伪装的轻装甲（15毫米）和

V-94狙击步枪

非装甲目标，摧毁敌方雷达设备、导弹发射装置和火炮系统，地面静止状态下的飞机和直升机，消灭1000米距离内穿戴前景单兵防护设备的敌方有生力量（小目标），也可远距离区域排雷，击爆敌方水雷和小型水面舰只，防护沿岸地区安全，控制边界。由于这种武器射程较远，战斗能力超强，狙击手可在敌方轻武器瞄准火力射程之外行动，大大提高了战场生存能力。

图拉武器设计师在最初研制V-94狙击步枪时，成功解决了所有大口径步枪特有的一个主要问题：整体长度过长。V-94最大的特点就是可折叠，大大缩减了步枪整体长度。枪管尾部装配有铰链，对半折叠。V-94在折叠状态下，整体长度最短化，由1700毫米减至1100毫米，从而便于运输和携带。这种特点对步枪来说绝对不多余，由于战斗状态下的V-94全长1700毫米，战斗携带非常不便，空降时顺利通过装甲设备或直升机上狭窄的疏散舱时有一定的难度。折叠后，总长缩减为1100毫米，宽度和厚度分别为125毫米和196毫米。行进状态下，枪管与导气系统一起向右后方折叠，用卡锁箍定在机心匣后部。为防止枪管和机械装置弄脏或堵塞，枪管尾部切面和机心匣都用特殊杠杆机构互相遮盖。步枪中部，在接近重心处的枪管上装配有反转手柄，便于携带。V-94共有两种固定状态，一种向枪尾方向，用于战斗状态时的携行；另一种向枪口方向，用于折叠状态时的携带。不装弹匣和瞄准具时，V-94狙击步枪空重11.7公斤。

狙击手传奇

3. 结构布局

V-94步枪采用传统结构布局，自动装弹。枪膛闭锁和开锁，废弹壳从弹膛中退出抛射，弹匣供弹进膛等全部自动完成。自动装置工作原理基于子弹发射时产生的火药气能量利用基础之上。发射时火药气通过枪膛和套筒里的导气孔，作用到气筒活塞，使其向后弹射机匣。导气管装配在枪管左侧，当机匣向后反冲时，枪膛开锁，废弹壳回撤抛射，复位弹簧压缩，扳机解脱保险，下一发子弹从弹匣中进弹至弹膛输送线，在复位弹簧作用下，机匣返回先前状态。保险上配有机匣架全角槽，有4个战斗突出部，与枪尾挡板啮合，在主突出部作用下，借助子弹发射时产生的火药气对套管的压力，使保险翻转，枪膛闭锁。弹药室借助发射负载通过打火限动器固定到枪管尾部螺纹上，弹药室内部装配有嵌入件，保障枪膛闭锁时保险提前翻转。扳机型击发机构组装在可更换模块内，只能单发点射，由开关钮类型的保险控制。

由于V-94狙击步枪威力强劲，发射时后座力相当大，在最初设计时就充分考虑到消除后座力，最大程度地减小对射手影响的问题。V-94采用独特的枪口双室制退器和消焰器，可消除大部分后座力，同时还有人机工程学性能突出的木质枪托和缓冲肩托，枪托底板上有减震橡皮齿背。不过枪托的长度和高度不可调节。这种步枪射击时的主要控制机构是玻璃钢手枪手柄，换弹手柄位于机心匣右侧，由可拆卸U形金属弹匣供弹，5发子弹交错配置。弹匣卡锁在扳机前面，弹匣装枪时，弹匣卡钩卡在机心匣突出部上，支撑突出部与卡锁啮合，使弹匣固定在机心匣窗内，废弹壳向右方抛射。

V-94步枪的瞄准装置由固定准星、平衡布局性能良好的瞄准机构和部件组成。可使用支架瞄准射击，为此在枪管上固定有折叠式双脚架，相对步枪横面铰接，可以弯转，能保障这种狙击步枪稳固支撑于任何表面。在行进状态下，双脚架支柱由卡锁固定，沿枪管方向展开。不过由于双脚架和移动手柄增加了枪管负载，对射击精度产生了一定程度上的影响。机心匣左板"燕尾"式标准固定有瞄准具支架，与V-94步枪较远射程相适应，可在枪管上装配德拉古诺夫狙击步枪使用的PSO-1改进型4倍光学瞄准器、重达3.5千克的

V-94狙击步枪

POS13×60型高倍（13倍）光学瞄准器、专用日视瞄准器、POS12×56轻型高倍（12倍）瞄准器、各种可见光和红外频谱激光目标指示器等瞄准装置。使用光学瞄准器时的瞄准射程为2000米，不过对实际目标射击时，要想达到这么远的距离还有些困难，战斗射程通常在1500米左右。使用5倍夜视光电瞄准器时，夜间瞄准射程为600米。

4. 弹药

尽管V-94/OSV-96能发射任何类型的12.7×108毫米口径弹药，为保障较高的射击密度，还是需要研制专用狙击子弹。乌里扬诺夫军工厂为这种步枪专门研制生产了12.7SN狙击子弹，这种新型狙击子弹破甲能力增强，射

V-94狙击步枪

击密度提高，总重量141克，其中弹头重56克，火药重17克，子弹总长147毫米，弹壳长108毫米，弹头长64.6毫米，弹头头部为黑色。12.7SN狙击子弹内部有钢弹心，能保障百分之百地杀伤瞄准射程内的所有敌方有生力量。这种狙击子弹制作比较精细，要求严格，设计公差比标准弹药少许多，从而保障较好的射击密度。100米射程点射4～5发后，散射横面不超过50毫米，射击密度性能比同类武器7.62毫米SVD狙击步枪高0.5倍。这一点在实战目标射击时非常重要，这种12.7毫米子弹飞行时的侧向偏流比7.62毫米编制步枪子弹缩小了1.5～2倍，从而保障1发摧毁1200米距离内的大目标。除12.7SN狙击子弹外，V-94步枪还可使用其他12.7毫米子弹，其中包括BZT-44破甲燃烧曳光弹、BS和B-32破甲燃烧弹。BS和B-32破甲燃烧弹用于点燃敌方液体燃料，杀伤装甲掩体内的有生力量。BS子弹弹头为黑色，主体为红色。B-32子弹弹头为黑色，红带。BZT-44破甲燃烧曳光弹与B-32子弹机构类似，曳光成分在燃烧时形成红色弹迹，弹头为紫色，红带。上述所有12.7毫米子弹弹壳制作材料既有黄铜，也有覆铜钢。子弹初速度900米/秒，射速15～20发/分钟。

5. 应用

在对V-94进行一些小的改进后，这种狙击步枪开始以OSV为代号装备部队。事实上，V-94与OSV-96不仅在枪口制退器结构上有所不同，在枪托和移动手柄形状方面也有一些区别。目前V-94/OSV-96狙击步枪主要装备俄罗斯内务部的内务部队、联邦安全局和其他强力部门，在车臣战事中得到了广泛的战

斗使用。不过尽管具有较高的战斗使用性能，V-94狙击步枪并未替代7.62毫米SVD自动装弹型狙击步枪，只是作为狙击手武器装备的补充，实质性地提高了其战斗能力。

SVD狙击步枪

1. 简介

德拉贡诺夫狙击步枪（CBД狙击步枪），英文为SVD。苏联军队在1963年选中了由德拉贡诺夫设计的狙击步枪代替莫辛纳甘狙击步枪，通过进一步的改进后，在1967年开始装备部队。除苏联/俄罗斯外，埃及、南斯拉夫、罗马尼亚等国家的军队也采用和生产SVD。SVD一种新的改进型，采用新的玻璃纤维复合材料枪托和护木，以及新弹匣，在弹匣入口前方有安装两脚架的螺纹孔。

SVD狙击步枪

2. 研发历程

在苏联军队中，每个班配备一支SVD。装备SVD的士兵接受针对该武器的专门训练。装备SVD的射手和整个班一齐行动并延伸整个班的有效射程至600米或更远（AK-47精度受限制）。由于其设计是出于延伸射程的简单目的，因此SVD是一支坚固耐用的步枪。刺刀座和在瞄准镜损坏情况下用于瞄准的机械瞄具更加表明了这个事实。SVD的可靠性仍然是公认的，这使SVD被长期而广泛地使用。

3. 结构特点

SVD的发射机构实际上可以看做是AK47突击步枪的放大版本，但更简单。由于SVD发射的7.62×54毫米突缘弹威力比AK47配用的7.62×39毫米M43弹威力大得多，因此枪机机头要重新设计，并强化以承受高压。不过由于只能单发射击，所以击发和发射机构比较简单，主要零件是击锤、单发杠杆以及靠机框控制的保险阻铁，有单独的击锤簧和扳机簧。SVD出膛速度为830米/秒。此枪可使用老式莫辛纳甘M1891/30弹药，但是该枪通常使用为SVD特制的更为精确的7N1弹。

为了提高精度，SVD的导气活塞与AK47的不同，AK47的活塞与枪机框成一个整体，而SVD采用短行程活塞的设计，导气活塞单独位于活塞筒中，在火药燃气压力下向后运动，撞击机框使其后座，这样可以降低活塞和活塞连杆运动时引起的重心偏移，从而提高射击精度。机框后座时的开

SVD狙击步枪

锁原理与AK47相同，开锁后的一切抛壳、复进、装填动作也与AK47基本相同。护木设计并不是直接与枪管接触，而是固定在机匣上的。枪管前端有瓣形消焰器，长70毫米，有5个开槽，其中3个位于上部，2个位于底部。这样从消焰器上部排出的气体比从底部排出的多，实际效果是将枪口下压，从而在一定程度上减轻枪口上跳。另外消焰器的前端呈锥状，构成一个斜面，将一部分火药气体挡住并使之向后，以减弱枪的后座。在准星座下方有一个刺刀座，可安装刺刀这一点与目前绝大多数的狙击步枪都不一样。

在导气管前端的气室有一个气体调节器，用来调整火药燃气的压力。在平常环境及保养良好的情况下，调节器设在"1"的位置上，但当使用环境恶劣或战争时无法正常保养，造成导气管积碳过多影响正常操作时，可以将调节器设在"2"的位置上，增加推动活塞的压力。

SVD的枪托设计是把一般的木质枪托握把的后方及枪托的大部分都镂空，既减轻重量，又能自然形成直形握把，枪托抵肩的质心也比较接近枪管轴心线，能更好地控制枪口上跳。在枪托上有一个可拆卸的贴腮，枪托长度不可调。后来生产的SVD改用玻璃纤维复合材料枪托。SVD的扳机护圈较大，士兵戴棉、皮手套也可射击。

SVD标配的瞄准镜是4×24毫米的PSO-1型瞄准镜，瞄准镜全长375毫米，视场6度。虽然PSO-1瞄准镜的放大倍率只有4倍，但射程调节螺帽可以将弹道修正到1000米（误差±1米），加上瞄准镜的分划板上还有三个距离分划，每个分划100米，所以SVD的最大射程可达1300米。瞄准镜上有光源和电池，夜间可以照亮分划板，另外还有一种可以旋转安装上瞄准镜的红外滤光器，用于在夜间射击时过滤外部红外光源，但瞄准镜本身没有夜视能力。由于SVD的机匣就是AK式的，因此瞄准镜的安装座只能装在机匣左侧。

世界各国狙击步枪

SVD狙击步枪在1000米以上的距离也足以致命，但此枪并不是出于对超高精度的要求而制造的。使用标准弹药时，此枪的有效射程约为600米，在此距离上精度为2角分。射程和准确度可通过使用特殊弹药而得到改善。此枪的精确度问题主要是由半自动动作导致的枪管震动造成的，使其远距离的精度降低。值得一提的是，相对此枪的体积来说，此枪的操控性良好，而且非常耐用。导气装置和枪膛均镀铬，具有良好的耐蚀性且易于清洁。

4. 弹药

SVD狙击步枪

7.62×54毫米R枪弹现在通常只作为机枪弹使用，不过SVD所配用的却是同规格但专门开发的狙击弹，精度更高，威力更大，在1000米距离上仍有很强的杀伤力，另外还有专用的曳光穿甲燃烧弹。事实上，SVD早期设计的缠距为320毫米，后来才缩短到240毫米，这样的改变使发射普通弹时精度很差，并使枪口初速从830米/秒降低到810米/秒。这样做主要是为了配合新开发的专用狙击弹、曳光穿甲燃烧弹所需要的最大自转速度，以提高发射这些专用弹药时的弹道性能，所以SVD发射7N1弹时初速仍为830米/秒。7N1在20世纪50年代与SVD并行研发。

5. 基本参数

全长	1220毫米	枪管长	620毫米	初速	810米/秒
最大杀伤射程	3800米	容弹量	10发	重量	4.3公斤

VSS "Vintorez" 微声狙击步枪

1. 简介

VSS "Vintorez" 其实就是AS的狙击型（虽然AS实际上也常被当做狙击步枪使用），也是中央精密机械工程研究院的P. Serdjukov小组研制的，是特种狙击步枪。

VSS也可以发射SP-5普通弹，但主要是发射SP-6穿甲弹。AS与VSS的结构原理是完全一样的，在外形上的区别只是VSS取消了独立小握把，改为框架式的木制运动型枪托，枪托底部有橡胶底板。VSS与AS的弹匣通用，但在VSS上标配的是10发弹匣。

2. 特点

该枪采用以下弹种。SP-5普通弹，属于全金属被甲弹，铅钢复合弹芯，流线型锥底尖头弹，重约16克，在亚音速下飞行稳定，不容易受风向影响，精度较高。有一定的侵彻力，主要杀伤低防护目标。

VSS "Vintorez" 微声狙击步枪

SP-6穿甲弹，弹头内含一枚硬化钢弹芯，填充有一层铅套（也可能是其他类似软金属材料）。硬化钢芯在弹尖处裸露出来，涂黑色漆，重量较SP-5稍轻。枪弹在命中目标时被甲铅套与弹芯分离，弹芯靠高硬度继续侵彻目标，而弹头其他部分膨胀扩大杀伤力，可在100米处击穿8毫米钢板，所以这种枪弹短距离威力大。

PAB-9弹，结构与SP-6相似，特点是使用冲压钢弹芯，弹头更长更重，威力大且成本低。但是精度较差，而且不适合高精度的狙击步枪发射（可能弹头过重不适合狙击步枪的膛线）。主要使用于自动武器，而且使用不是很广泛。

由于VSS "Vintorez" 被定位为特种任务武器，因此它可以分解成三大部分，并且放进450毫米×370毫米×140毫米的盒子内，同时附有两个弹匣、PSO-1瞄准镜（与SVD狙击步枪相同）以及NSP-3夜视瞄准镜。

该枪自20世纪80年代投入使用，已经装备了俄罗斯的特种部队及执法机构的行动单位，在俄罗斯各地的武装冲突中广泛应用。在车臣作战的俄罗斯特种部队经常使用这种武器，其中更有部分流入车臣武装组织手上。2004年别斯兰人质危机中，俄罗斯特种部队也曾使用该武器。

3. 基本参数

全枪长	894毫米	枪管长	200毫米	空枪重	2.6公斤
初速	280～290米/秒	容弹量	10发	口径	9×39毫米

架，该两脚架固定在步枪前端。

L115A3步枪配备英国陆军、皇家海军陆战队以及皇家空军。英国部队现役的狙击系统是由英国精密仪器制造公司研制的L96狙击步枪，它发射0.308倍口径枪弹时的最大射程较近。L115A3步枪于2008年交付使用。

L115A3狙击步枪的子弹口径由以往7.62毫米增大为8.59毫米，弹体更重，不易因射程更远发生偏转。此外新枪枪口装有消音器，减小开火时发出的火光和噪音，降低被敌人发现的几率。新枪瞄准镜从以往对目标12倍放大提高为25倍放大，极短时间内可击发5弹。每支L115A3远程狙击步枪造价约2.3万英镑（4.6万美元）。

3. 发展历程

L115A3步枪是英国精密仪器制造公司为执行狙击任务而研制的步枪，其设计思想是：不管枪管清洁与否，都要做到首发命中。L115A3步枪于20世纪80年代末问世。它按照英国陆军新式狙击步枪的试验规定要求设计，突出强调在北极气候条件下使用的可

L115A3狙击步枪

靠性。它的一个主要特点是结构设计上考虑了防冻问题，如设计了特殊的表面保护层、吸纳冰屑土渣的浅沟槽、三位置保险柄、滑动自如的手动式枪机开闭锁机构。它能在-40摄氏度条件下可靠使用，它在炎热潮湿气候条件下的性能也是相当优良的。

PM狙击步枪

1. 简介

英国精密仪器制造公司研制的PM狙击步枪，也叫L96A1狙击步枪，20世纪80年代出世。它很好辨识，因为它的塑料枪托上有一个很大的拇指开孔，使得枪托的形状近似于直线，这也是PM外形上最大的特点，相当罕见。

以往的狙击步枪是采用传统的旋转后拉直动式枪机的。它的不锈钢枪管游浮于枪托之上，没有直接和枪托接触，命中率因此得以提高，在当初英军狙击步枪选型测试中命中准确度最佳。它在射程549米上能首发命中目标，还能对900米远处的敌人造成威慑。

世界各国狙击步枪

PM狙击步枪

PM采用铝合金机匣，装弹10发。它全枪长1.124～1.194米，枪管长655毫米，枪重6.5公斤，发射北约7.62毫米制式枪弹，装有可调式两脚架。

2. 基本结构

在基本的结构方面，采用手动枪机系列，而回拆卸式的弹匣最多可以装填10发子弹。

在特色方面，塑胶制的枪托上附有一个很大的拇指孔，是这种枪托的特征，它是由螺栓连接左右两片的枪托板所完成的。而且由于枪托采用了拇指开孔的形式，使得枪的形状似直线，这一点对于枪机活动式的狙击型步枪而言，是相当罕见的。在左右塑胶制枪托的中央，附有一片铝合金制的框架，枪机直接和枪托接触，成为一种浮动枪管（无阻碍独立悬吊固定于机枪容纳部之前），使得命中率可以因此而提高。

PM狙击枪在英国军方所举办的狙击枪测试中被提出，和其他英国制步枪或外国制步枪进行比较。结果PM步兵用步枪在命中准确度方面表现最佳，它在射程549米上能首发命中目标，还能对900米远处的敌人造成威慑。于是在另外配备6×42舒密特·班特瞄准镜后，PM步兵用步枪便成为英国军用制式狙击枪。PM步兵用步枪的军用制式名称是L96Al，而6×42舒密特·班特狙击镜的制式名称是L1A1望远瞄准镜。

AW系列狙击步枪

1. 简介

事实上，英国精密仪器制造公司（AI公司）以PM狙击步枪为基础生产了一系列享誉世界的著名狙击步枪，这就是AW系列。包括原型PM/L96、经典的AW/L96A1、警用的AWP（也是最著名的）、消音版AWS、采用.338 Magnum步枪弹的AWM、12.7毫米的AW50、为德国国防军生产的G22和G24、为瑞典军队生产的PSG90、便宜的低端版AE等。这么多版本的不同狙击步枪，在外形上几乎完全相同。它们构成了当今世界上号称最为精确的AW狙击步枪系列。

1970年，英军把0.303口径的No.4，Mk.I（T）狙击步枪改装成7.62×51毫米口径的L42A1狙击步枪，虽然L42A1的精度很好，但仍然采用放大率为3

倍的No.32瞄准镜，在经历地区局部战争时，这种步枪越来越显得过时，在1982年的英阿马岛战争时这个问题更显严重，英国人终于意识到他们迫切需要一种新型的狙击武器系统。

AW狙击步枪

1982年，英国开始为新的狙击手武器系统进行竞标，到1982年底，英军已经把参与竞争的公司筛选到剩下五家，再经过一轮选型后，有机会参与最后一轮竞争的只剩下两家公司——帕克-黑尔和AI公司。英国陆军对新型狙击步枪的要求很高，在600米射程首发命中率要达到100%，1000米射程内要获得很好的射击效果，其他竞争者除了达不到精度要求外，对于英军要求采用10发可卸弹匣的这一项也很少能够达标。

帕克-黑尔公司也是以生产优秀的狙击步枪而闻名的，其提交的M85步枪是已经在澳大利亚和加拿大军队服役的M82步枪的改进型。这是一种传统的旋转后拉式枪机步枪，配用6倍光学瞄准镜，有后备机械瞄具，采用塑料枪托。相比之下，位于朴茨茅斯的AI公司的历史就很短，它唯一出名的只是它的创办人兼主设计师马尔柯姆·库帕。

库帕的出身是一个工程师，但同时也是一个国际级射击比赛选手，他曾在多次世界性的射击比赛上夺冠，包括两次奥运会冠军、8次世锦赛冠军和13次获欧洲锦标赛冠军（注：在中国奥委会官方网站上就能查到Malcolm Cooper在1984年和1988年获得男子小口径步枪3×40冠军的纪录），并拥有各种口径、不同原理步枪射击的多项世界纪录。身为一个熟练的射手，库帕知道对于一把精确步枪的设计来说，什么是应该做的，什么是不应该做的。所以他在1978年5月成立了自己的公司——AI公司，招聘了40名雇员，专门生产符合国际射击比赛要求的步枪，而这次是AI公司头一次尝试涉足军用步枪先列。

AI公司提交的样枪被命名为"PM"（Precision Match——精确比赛），这也是一种采用塑料枪托的步枪，但它的结构很特殊，并不是用传统的实心枪托，而是采用两块尼龙板合起来的可调长度中空枪托，回转式枪机有8个闭锁突笋。瞄准装置是德国施密特·本德生产的6×42毫米白光瞄准镜，并配有后备的机械瞄具。

位于渥敏斯特的步兵学校在仔细研究过这两家竞争对手后，认为AI公司勉强胜出。这个决定是有争议的，一方面是因为帕克-黑尔公司良好的声誉和

它的样枪的确不错，另外也是因为有人对PM步枪的枪机提出质疑。然而英军最终还是采用了PM步枪，并命名为L96。英军购买了超过1200支L96步枪，随后其他一些国家，如法国外籍兵团也购买了一些PM步枪，PM/L96步枪总共售卖了约2000支。

AW狙击步枪

AI公司根据英军提出的要求继续改进PM步枪，在1990年停止了PM/L96步枪的生产，转而生产新的改进型AW步枪（Arctic Warfare——北极战争）。英军马上就采用了这种AW步枪，并重新命名为L96A1。AW步枪是改进了枪机的PM步枪，其操作更快捷，只需向上旋转60度和拉后107毫米，这种设计的优点很明显：射手在操作枪机时，头部能始终靠在贴腮处，因而狙击手可以一边保持瞄准镜中的景象，一边抛出弹壳和推弹进膛。而且该枪机还具有防冻功能，即使在零下40摄氏度的温度中仍能可靠地运作，而这一点也是英军特别要求的。除此以外，AW/L96A1与PM/L96基本相同。AW/L96A1主要配用施密特·本德公司的10×42毫米白光瞄准镜，并有后备机械瞄具。

以AW为基础，AI公司推出一系列不同类型的狙击步枪，包括警用型AWP、消声型AWS、马格南型AWM、0.50BMG口径型AW50。

如前所述，除英国外，有超过40多个国家购买了AW系列，例如除法国外，第一批采用PM步枪的国家中还有瑞典。在1983年，瑞典的国防部开始选择新狙击步枪，经过一轮严格的对比后，AI公司的PM步枪获胜，7年后瑞典军方又采用了新的AW步枪，并正式命名为"PSG90"，采购了超过1000支。在1998年，德军采用0.3温彻斯特-马格南口径的AWM-F以及12.7毫米的AW50-F并分别命名为G22和G24。澳大利亚在2000年3月选择了AW-F的一种改进型，命名为"SR98"。此外比利时、爱尔兰、新西兰的军队，还有加拿大、阿曼、美国等不同国家的执法机构都使用AW系列步枪。为方便打进北美市场，AI公司1997年在美国田纳西州的Oak Ridge建了一家新工厂，称为"精密国际北美有限公司"。

2. AW狙击步枪

AW狙击步枪是AW枪族的基本型。AW步枪原本只有7.62毫米 NATO口

径型，在1998年，AI公司推出了5.56毫米NATO口径的AW。标准的AW机匣长225毫米，圆柱部直径30.5毫米，抛壳口位于机匣右侧，长78毫米。机匣由一整块实心的锻压碳钢件机加而成，壁厚，底部和两侧较平，整体式的瞄准镜导轨通过机加放置在机匣顶部。机匣通过弹匣座附近的螺丝固定在一个铝合金底座上。

3. AWM狙击步枪

AWM中的"M"是Magnum的缩写，也被称为"超级马格南"（Super Magnum），或简称SM步枪。AWM的口径为北约成员国内所使用的0.300温彻斯特-马格南和0.338拉普-马格南，此外还有一种7毫米雷明顿-马格南。在1997年推出的AWM步枪是以AW为基础用最小的变化来适应大容量弹壳的枪弹。

AWM狙击步枪

由于马格南弹发射的冲量较大，因此在AWM的机头上有6个闭锁突笋，分两圈前后排列，每圈3个。

为了使全枪质量不致过大，AWM的不锈钢枪管外表面刻有纵向凹槽，此外这也能加大外表面，更有利于散热，在射弹较多时，不会出现弹着点偏移。扳机扣力为$1.5 \sim 1.8$公斤，由于弹壳的直径较原来的7.62×51毫米弹大，为不改变弹匣和铝底座的相关尺寸，AWM的弹匣容量只有单排5发。弹匣宽16毫米，高101毫米，该弹匣从原理上讲可以装6发。不过这样只有在枪机呈开启状态时，弹匣才能完全插入；如果枪机处于闭锁位置，只有装5发弹的弹匣才能插入到位。AWM的后托上有一个后脚架，可由螺纹调整高低，不过由于螺纹相当精细，调节过程很费时间。

0.300温彻斯特-马格南步枪弹（7.62×67毫米）大幅增加了枪口初速和动能，因此在较远距离上的终点能量也较高，此外它的精度也优于普通的0.308温彻斯特弹，而只是比最好的比赛级0.308温彻斯特弹稍逊一筹，但抗风偏能力和较远距离上的弹道性能则比0.308温彻斯特弹要好，这大大提高了在远射程上的精度。

0.338拉普-马格南步枪弹（8.6×70毫米）采用0.016千克船形尾弹头，在超过1200米时速度下降不多，在1000米处的动能仍有1770焦耳，超过1300米仍有极强的杀伤能力，因此0.338拉普-马格南弹比0.308温彻斯特弹有更大的

威力和更远的射程。而与大多数的0.50 BMG口径步枪相比，0.338拉普-马格南步枪在全枪重量、后座力、枪口焰、硝烟和枪声等方面都较低，虽然0.338拉普-马格南弹的终点能量较0.50 BMG小，但两者的弹道性能、抗风偏能力和侵彻能力相近，而且比0.50 BMG弹有更好的射击精度，所以0.338拉普-马格南比0.308温彻斯特更适合远射程上的精确射击。

英军是第一个采用0.338拉普-马格南口径AWM的用户，将其命名为L115A1，并用于排级支持武器。

4. AWP狙击步枪

AWP狙击步枪

AWP是"Arctic Warfare Police"的缩写，即AW的警用型，或称为反恐型。AW是为军队设计的"绿色"步枪，而AWP则是为执法机构和保安部队设计的"黑色"步枪（实际上枪托是通用的，应客户的要求，有些AWP也可以采用绿色枪托）。AWP有0.243温彻斯特和0.308温彻斯特（7.62×51毫米的商业名称）两种口径。AWP与AW的区别在于采用较长和管壁较厚的重型枪管，该不锈钢枪管长24英寸，纵向剖面为截锥形，枪口直径为0.915英寸。又取消了后备的机械瞄具，在枪托底部可安装一个弹簧定位的后脚架，可与两脚架共同构成三点支撑，提高瞄准射击时的稳定性。扳机扣力为1.5～1.8公斤。

5. AWS狙击步枪

AWS是AW步枪的消声型，"S"大概是"消声器（suppressed）"或"寂静（silence）"的缩写。由于配套使用亚音速弹，其最大有效射程为300米。为了不增加全枪长度及保证较好的精度，采用与枪管结合在一起的整体式消声器，它的噪音级别相当于0.22 LR比赛弹。由于亚音速弹的弹道较弯曲，低倍率宽视场的瞄准镜比较适合这种近战环境，因此为保证首发命中率，主要采用可提供低倍率宽视场瞄准景像的12×50瞄准镜。

射手可在3分钟内拆卸带消声器的枪管并换上标准的AW或AWP枪管，在更换枪管后，瞄准镜需要重新归零。另外由于消声器的直径较大，AWS通常配用稍高一些的瞄准镜座。

AWS系统中有一种"隐蔽型"（AWS Covert），其实就是采用AW-F的折叠枪托的AWS。在折叠枪托和拆卸枪管后，整枪可装在一个专门配套的小手提箱中，除此以外和AWS完全相同。

6. AW50狙击步枪

由于0.50BMG口径的反器材狙击步枪很流行，在1998年AI公司也推出了0.50 BMG口径的AW系列，被命名为AW50。

AW狙击步枪

AW50与其他AW枪族基本相同，只是为适合0.50 BMG弹而增加了高效的缓冲系统，枪托可折叠以缩短携行长度，枪托底部有可调整的后脚架。与AWM一样，除了一个高效的枪口制退器，也可以选用一个简单的消声器，可有效降低枪声、枪口焰、硝烟和地面扬尘效果，而只是增加了约381毫米的长度。配用的瞄准镜也是Mk Ⅱ分划，早期型有后备机械瞄具，量产型取消了机械瞄具。为承受0.50 BMG的膛压，与AWM一样，AW50的机头有6个闭锁突笋。扳机扣力为1.5 ～ 1.8公斤，背带环有4个。

德国国防军的G24狙击步枪其实就是使用折叠枪托并在前面增加一段导轨的AW50步枪。

7. AE狙击步枪

AE步枪是AI公司为AW和AWP所研制的"廉价"型。因为大多数警察在执行任务中并不需要严格符合军事标准的步枪，例如警察通常不会在恶劣的天气和气候条件下使用步枪，也极少要在野外持续携带警用步枪数天甚至数星期而没机会进行适当的维护，而且大多数的警察在战斗任务中极少需要射击超过500米外的目标。AI公司的设计师基于这些设想而研制了AE步枪，其设计和质量与原来的AW和AWP相似，但便宜了几乎一半。与AW和AWP相比，AE只有一种型号（没有其他口径和枪管长度可选），这种步枪的有效范围只有600米。AE步枪的结构原理和其他AW系列完全相同，取消了机械瞄准具和原来的瞄准镜座，而机匣顶部安装一段皮卡汀尼导轨，弹匣有两种容量可选，分别为5发或8发。

8. G22狙击步枪

在西德时期，德军装备的狙击步枪是G3/SG1，并一直使用到东、西德统

一。这种精选的G3步枪只能应用于一般的战术支援，结果在索马里和前南斯拉夫地区的战斗行动中，德军部队的狙击步枪无法应付现代狙击作战的要求，于是德国国防部决定采购专用的狙击步枪。经过两轮对比试验后，先前呼声最高的毛瑟公司SR93和埃尔玛公司SR100都被淘汰，而AI公司的AWM-F却中标了，在1998年联邦国防军将其命名为G22并开始装备部队。

G22步枪是以标准的0.300温彻斯特-马格南口径的AWM-F为基础，但根据联邦国防军的要求专门做了一些改动，包括提供可调整的枪托和贴腮板，并在前托上增加一个安装夜视仪的基座，用于在标准的光学瞄准镜前安装夜视光学仪器，而这个新增的架座正是G22与其他AWM-F在外观上的一个识别标志。

G22狙击步枪

G22枪托折叠后全枪长由1245毫米缩短到995毫米，减短了250毫米。G22的肩托长短和高低调整并不像其他AW枪族那样通过增减填充块进行，而是通过手制动爪杆拉伸在不同位置，最多可伸出24毫米，按压调节按钮在枪托的左侧、肩托的前面。通过向后拉托底板，可将其向上或向下推到由导槽所确定的高低位置。调整贴腮板也是通过手制动爪杆实现，调整按钮在肩托右侧、贴腮板的下面，可以将贴腮板最多拉出28毫米。

G22后托上的脚架由细螺纹调节高低，但很费时。如果像埃尔玛公司的SR100狙击步枪那样用可快速调节的齿杆，可能省时得多。

G22的枪口装置功能多样，其后部作为机械瞄具的准星座，中部作为枪口制退器，前部有安装简易消音器的螺纹。前后排列有两排气孔，一排6个，另一排5个，每侧的最大角度为100度。火药燃气向上和向侧面喷出，因此有效抑制射击时的枪口上跳，并降低了后座力。另外向上方导出的火药燃气也能防止地面扬尘进入枪口。

G22步枪上有7个背带环，4个在前，3个在后。根据联邦国防军采购署的决定，批量生产的G22枪托颜色采用联邦国防军独有的橄榄绿，不过根据战场环境的不同，狙击手常常会漆成自己需要的颜色，例如沙漠地带的黄色。

G22与其他AWM不同的是，G22的保险只有前后两个位置，前方位置为解脱保险（红点），后方位置（白点）锁住枪机和扳机。

G22配用的瞄准镜是由韦茨拉尔的亨索尔特公司特意为G22狙击步枪研制

的12×56瞄准镜。在近距离防御中快速射击单个目标时，用小倍率较有效，而射击远距离目标时，用12倍最理想。调整倍率是通过一个旋转橡胶圈来完成，根据放大倍率的不同，在100米距离上的视场介于9.2米和3.2米之间。转动目镜处的另一个橡胶圈可调整屈光度（−2.5 ～ +2）。在黎明和傍晚时

AW狙击步枪

段（这些还不完全适合夜视镜的时候），瞄准镜可用红光照亮密位点分划板，光源由镜筒右侧的电位计开、关。

为估测距离，在分划的下部有一距离目测曲线，可以供射手在战斗中不用测距仪辅助而进行比较精确的调整。分划右侧有射表，当狙击手确认目标距离后，可借助由枪弹所决定的射表来调整瞄准镜的高低，在这种瞄准镜上第一次实现了视场高低调整示数，这样射手可以持续观察他的目标区，而不必看调整旋钮上的距离分划数。

夜视仪的电源是2节1.5V的镍铬电池，可以连续使用90小时。由于NSV80 Ⅱ型像增强仪采用了二代像增强管，像增强功能强，即使在漆黑的夜晚，也能清楚地发现目标。因为像增强仪安排在光学瞄准镜的前面，所以它本身没有放大倍率，无需与枪管轴线校正。

G22步枪采用的0.300温彻斯特-马格南弹是在德国国内生产的，联邦国防军要求狙击步枪在1000米上的首发命中率至少达到90％，还要求所使用的枪弹要符合海牙公约。为此MEN金属公司进行了充分试验，按要求研制了两种型号的枪弹。第一种采用的是11.7克全被甲铅芯弹头（普通弹），尖头船尾形，弹头被甲为一种有覆黄铜镀锌的钢被甲，射击10发弹，弹头速度为883米/秒，600米射程上弹头飞行时间为0.817秒，散布直径为22厘米。第二种采用重11.1克全被甲硬芯弹头（穿甲弹），在100米距离上穿透布氏硬度（HB）为420 ～ 450的20毫米装甲钢板，600米距离上穿透15毫米钢板，弹头速度874米/秒，600米弹头飞行时间0.886秒，散布直径23厘米，采用覆铜镀锌的钢被甲，被甲容纳弹芯和底座，弹芯安在底座上。由于两种弹的弹道性能接近，因此在更换枪弹时不必调整瞄准镜，所以狙击手在战斗情况下有两种弹可用。

德国狙击步枪

SR-100狙击步枪

1. 简介

埃尔玛SR-100狙击步枪由德国埃尔玛（ERMA）公司研制，该枪是为KSK和GSG-9等特种部队研制，据说使用优质弹药时能小于0.3MOA。该枪与毛瑟SR-93一起参与德国国防军的狙击步枪选型试验，但却落败于英国AI公司的AWM-F，后者被德国国防军采用和定型为G22狙击步枪。现在埃尔玛SR-100狙击步枪已经停止发展。

SR-100采用旋转后拉式枪机，枪机圆柱形部分直径为22毫米，机头处有3个闭锁突笋，在枪管后端有对应的闭锁槽。机匣由一块铝合金锤锻而成，安装在枪托上。机匣是该枪的核心部分，其他零件都是围绕机匣设计的。SR-100有3种口径，分别为0.308温彻斯特、0.300温彻斯特-马格南和0.338拉普-马格南。可以通过更换枪管、枪机和弹匣来改变步枪的口径。枪管冷锻而成，0.308口径有4条膛线，缠距为12英寸；0.300和0.338口径有6条膛线，缠距为10英寸。

SR-100狙击步枪

枪管从前面推进机匣，由在外面可触及的偏心轴锁定。偏心轴由夹紧螺钉固定，夹紧螺钉则由内六角扳手拧到前面的连接螺钉处。这种锁定方式已经申请专利，可用普通的扳钳类工具进行拆卸，因此枪管很容易更换。枪管为自由浮置式，不与前托触碰。所有型号的枪管都配有高效枪口制退器。盒形弹匣根据不同口径有不同容量，不需要改变都能插到机匣下部延伸出来的弹匣插槽上。弹匣释放钮是两个位于抛壳口下面、枪托两侧的圆形按钮。

枪托由胶合板铣切而成，托底板的长度和高度及贴腮板均可调。前托下侧嵌有连接两脚架或背带的导轨，侧面有3个通风槽。前托的前端能接上一个额外增加长度的前托，这样可前移两脚架支座。后托里有支撑用的驻锄（后支架），可调节高度。扳机扣力和行程可调。SR-100有3位置的手动保险。SR-100没有安装机械瞄具，在机匣顶端配有瞄准镜安装导轨，通常配10倍左右瞄准镜。

2. 基本参数（0.338口径）

全枪长	1360毫米	枪管长	750毫米
弹匣容量	5发	空枪重	6.9公斤

◤ DSR-NO.1狙击步枪

1. 简介

德国AMP公司推出的DSR-NO.1狙击步枪完全按照现代化武器的发展思路研制，融入了武器的系统化、结构模块化、瞄具光学化、材料新型化等设计理念，能同时满足军界、警界双方的战术要求，引起世人的关注。

DSR-NO.1狙击步枪零部件采用新材料制造，主要材料包括铝合金、钛合金、不锈钢以及增强玻璃纤维材料。枪长990毫米。它可同时安装昼夜瞄准设备。它的扳机设计科学，能防止在装枪时不慎触动扳机造成走火。DSR-NO.1狙击步枪还具有射击精度高的特点。但是美中不足的是枪太重了，约为5.9公斤。

2. 结构特点

它的设计理念非常独特。它的枪管"悬垂"于两脚架之上，而不是与其连为一体，这使它的两脚架可以大幅度地做三轴运动。它的枪托长度可调节，其尾部有手柄。手柄的支撑架可触地，成为"第三条腿"。

它有两个弹匣，扳机后面的是射击用的，扳机前面的是备用的。它能使用4种口径枪管，变换口径只需调换与之相配的枪管、枪机、枪机卡笋及弹匣即可。

该枪通过更换枪管可以形成发射不同弹种的三种枪型：标准型，全长990毫米，枪管长650毫米，重5.9公斤，发射7.62毫米温彻斯特-马格南弹；长枪管型，枪管长790毫米，发射7.62毫米北约制式弹（0.308温彻斯特弹）；带消音器的微声型，发射0.338拉普尔-马格南弹。更换枪管程序也非常简单，只要用普通螺丝刀将固定枪管的3个横向螺钉从机匣上拧下来即可。

对100米距离上的目标进行实弹射击，射弹密集度相当高，弹着点仅形成了一个洞。所有的试验人员在300米

DSR-NO.1狙击步枪

距离上进行射击，密集度均处于50毫米范围内，在1 000米距离上，用0.338变型枪射击，密集度达200×300毫米，弹着点主要集中在人体的中心部位。

3. 基本参数

全长	990毫米	枪管长	650毫米
容弹量	5发	空枪重	5.9公斤

PSG-1狙击步枪

1. 简介

PSG-1是世界上最精确的半自动步枪之一，PSG-1的基本结构与G3相同，因为使用了加厚的重型枪管，所以全枪重量比较大，这也是PSG-1的弱点。不带瞄准镜和三脚架的PSG-1就已经是8.1公斤了，狙击手在战场上携带与使用非常不方便；抛壳太远，竟达10米，这容易暴露射手位置。不过重枪管的主要作用是在射击时依靠枪管自身的重量减小枪管的振动。

PSG-1狙击步枪

基于同样的目的，枪口部没有安装消焰器、制退器之类的任何枪口装置，其实大多数狙击步枪都有这样的设计。而PSG-1采用了特殊弹药，发射时几乎听不到枪声，同时也有很高的命中率，但射程和穿透力却比普通狙击步枪要差得多。

另外PSG-1的基本结构和其他HK步枪（G3、MP5）类似，都采用滚轮锁定、延迟反冲式半自动的枪机作用方式。

2. 特点

HK公司在G3的基础上设计了G3-SGT完全不一样的世界最高的半自动狙击枪PSG-1。这个8.1公斤重的狙击枪有最好的瞄准能力，是现有的狙击枪中最优秀的狙击枪之一。

但是相对准确来说，其重量大、怕灰尘，价格比较高，其精准度高、威力大，但不适合移动使用，主要作用是远程保护。PSG-1在300米的距离上它保证可以把50发子弹全部打进一个棒球大的圆心。PSG-1作为世界上最精确的半

自动步枪之一的原因是因为它控制得极其严格的制造公差，所有的零件几乎完全结合。出厂试验时，每支步枪都要在300米距离上持续射击50发子弹，而弹着点必须散布在直径8厘米的范围内。

PSG-1的握把为比赛步枪用的握把，塑料枪托的长度可调，枪托上的贴腮板高低可调，射手可以调节到最舒适的长度和高度。PSG-1的扳机力比G3轻得多，这也是狙击步枪的同通特性。

另外PSG-1不像其他军用狙击步枪那样装有应急的机械瞄具，而只采用望远式瞄准镜。PSG-1可以选用两脚架或三脚架支撑射击，两脚架比较方便，但如果要求高精度，用三脚架会更稳定。HK公司原配的瞄准镜是Hendsoldt 6×42，但一些用户会另外购买倍数更大的瞄准镜。

3. 衍生型号

MSG90是HK公司在PSG-1的基础上改进的军用型。

PSG-1 A1于2006年发布，该枪较原版相比主要有两项改变。第一个改变：握把在角度上逆时针转了一点，因为在原型号上，当它被锁住向正后方时，很容易阻碍到狙击步枪上常用的远距离瞄准镜的使用。第二个

PSG-1狙击步枪

改变是替换了Hensoldt 6×42瞄准镜，PSG-1 A1上标配的是Schmidt & Bender 3-12×50 Police Marksman II瞄准镜，用34毫米固定环来固定。

4. 基本参数

重量	8.10公斤	口径	7.62毫米	枪管长	650毫米
全枪长	1208毫米	全枪宽	59毫米	全枪高	258毫米
弹匣容量	20发	最大射程	800米		

MSG90狙击步枪

1. 简介

虽然PSG-1的精确度受到好评，但毕竟太重，作为警用狙击枪还可以，如果让士兵提着它在野外作战，简直苦不堪言。为此，HK公司在PSG-1的基础上研制出MSG90军用狙击步枪。

世界各国狙击步枪

105

MSG意思是"军用精确步枪"，而90代表开始生产的1990年。MSG90和PSG-1差别不大，为减轻重量，MSG90采用了直径较小、重量较轻的枪管，在枪管前端接一个直径为22.5毫米的套管，看上去好像一个枪口制退器，但套管没有任何制退或消焰的作用，只是为了增加枪口的重量，在发射时抑制枪管振动。另外由于套管的直径与PSG-1的枪管一样，所以MSG90可以安装PSG-1所用的消声器。MSG90的塑料枪托也比PSG-1要轻，枪托的长度同样可调，贴腮板高低也可以调整，枪管和枪托是MSG90和PSG-1区别的主要特征。和PSG-1一样，MSG90也可以选用两脚架或三脚架支撑射击，虽然三脚架更加稳定，但作为野战步枪，两脚架会比较适合。

2. 研发历程

HK公司不仅想占领军用狙击武器市场，还想占领警用狙击武器市场，但G3/SG1不是最佳选择，因为它始终是按军用自动步枪要求设计的。狙击手需要的是一种高命中精度的专门武器，能在较远距离上对付单个或数个目标。为此，HK公司在PSG-1步枪的基础上开发出专门的狙击步枪MSG90。MSG90是世界上最精确的半自动步枪之一，在300米的距离上它保证可以把50发子弹全部打进一个棒球大的圆心！不过它也是最贵的步枪之一，单价约1万美元。

MSG90的基本结构与PSG-1相同，但使用了加厚的重型枪管，所以全枪重量比较大。重枪管主要是在射击时依靠枪管自身的重量减小枪管的振动，基于同样的目的，枪口部没有安装消焰器、制退器之类的任何枪口装置，大多数狙击步枪都有这样的设计。

MSG90作为世界上最精确半自动步枪之一的原因是因为它控制得极其严格的制造公差，所有的零件几乎是完全结合。出厂试验时，每支步枪都要在300米距离上持续射击50发子弹，而弹着点必须散布在直径8厘米的范围内。

MSG90的握把为比赛步枪用的握把，塑料枪托的长度可调，枪托上的贴腮板高低可调，射手可以调节到最舒适的长度和高度。MSG90的扳机力比PSG-1轻得多，这也是狙击步枪的共同特性。另外，MSG90不像其他军用狙击步枪那样装有应急的机械瞄具，而只采用望远式瞄准镜。MSG90可以

MSG90狙击步枪

选用两脚架或三脚架支撑射击，两脚架比较方便，但如果要求高精度，用三脚架会更稳定。HK公司原配的瞄准镜是Hendsoldt 6×42，但一些用户会另外购买倍数更大的瞄准镜。

3. 结构特点

MSG90式狙击步枪同赫克勒科赫有限公司研制的所有步枪一样，也是采用半自由枪机式工作原理，滚柱闭锁方式。枪管冷锻并淬火而成。预调扳机带有扳机护圈，增加了扳机宽度，便于击发，扳机力为14.7牛顿。枪托长度可调，其上还有可调高度的贴腮板槽。护木上有安装背带环和两脚架的T形导轨。

该枪未装机械瞄准具，只配有放大率为12倍的瞄准镜，其分划为100～800。机匣上还配有瞄准具座，可以安装任何北约制式夜视瞄准具或其他光学瞄准镜。

该枪采用北约7.62毫米枪弹。

4. 基本数据

口径	7.62毫米	初速	800米/秒	闭锁方式	滚柱式
容弹量	20发	全枪长	1165毫米	枪管长	600毫米
重量	6.4公斤				

SR9 半自动步枪

1. 简介

SR9和HK91类似，都是HK公司在G3基础上开发的民用产品。SR9狙击步枪是德国赫克勒-科赫有限公司按军用标准设计推出生产的。

2. 基本性能

SR9的精确度很高，枪机的后座缓冲器取自MSG90狙击步枪，后座力很小，枪口几乎没有垂直跳动。SR9的枪机闭锁装置确保在弹头离开枪口后才开锁，有效地消除了影响自动步枪精确度的一个因素。直径15.875毫米的精确枪管上没有枪口装置，因此发射时枪口冲击较大，但此时弹头已经出膛，作为半自动步枪，这并不影响下一发弹的精度。

1989年，美国开始禁止民间销售突击步枪，SR9被定义为突击步枪，是HK公司产品中最先被禁止进口的，

SR9半自动步枪

随后HK91等步枪也被禁止进口了。为符合法律的规定，HK公司把许多产品都做了修改，HK91演变成HK911，而SR9则推出了两种个新型号：SR9T和SR9TC。主要改进是采用PSG-1的扳机和握把，以及新的枪托。由于这个握把的形状和尺寸使SR9系列不再被定义为"突击武器"，因此SR9T和SR9TC被允许继续销售。

SR9T、SR9TC一直在美国销售。直到1994年突击武器法出台，BATF（美国烟酒枪械管理局）禁止了SR9系列的进口。由于SR9本身的精确度很高，改进后SR9T、SR9TC的扳机力变低，更适合狙击任务，加上直径较小的枪管，使SR9T和SR9TC的重量比PSG-1和MSG90都要轻，因此也被执法机构少量装备。

3. 结构特征

SR9狙击步枪同赫克勒-科赫有限公司研制的所有步枪一样，也是采用半自由枪机式工作原理，滚柱闭锁方式。预调扳机带有扳机护圈，增加了扳机宽度，便于击发，扳机力为14.7牛顿。枪托长度可调，其上还有可调高度的贴腮板槽。护木上有安装背带环和两脚架的T形导轨。

该枪未装机械瞄准具，只配有放大率为12倍的瞄准镜，其分划为100～800。机匣上还配有瞄准具座，可以安装任何北约制式夜视瞄准具或其他光学瞄准镜。

该枪采用北约7.62毫米枪弹。

4. 研发历程

二战末期，HK公司设计了一款滚柱闭锁枪机的步枪，并在1944年获得了陆军统帅部30支样枪的订单，不过才刚生产完零件，二战便结束了，毛瑟公司的一些员工被拘留于荷兰，并被英国人命令制造出这些武器，于是SR9步枪就这么诞生了。

不过在这时，滚柱闭锁枪机的发明者路德维希·福尔格里姆勒前往法国，1950年又到了西班牙的特种材料技术研究中心，加入了一个研发新型枪械的

SR9半自动步枪

专家小组，一开始西班牙方面并不信任他，不过在他的才能显露出来之后，对方很快就改变态度，并批准了由他负责新枪研发，新枪很快被制造出来。1952年，SR9第一次试射时引起了美

国军方的关注，并表示可以到美国免费试验，1954年，SR9改为发射7.62口径子弹，这时东德正好需要新枪来装备部队，于是于1956年向西班牙订下契约，修改并订购500支SR9步枪，不过条件是在HK公司生产，于是路德维希·福尔格里姆勒带着SR9步枪回到了德国。

1957年，西德经由部队测试SR9后决定装备该枪，1958年，西德政府正式将SR9的生产任务交给了HK公司，HK公司将SR9根据测试部队的意见进行改进，改进后的步枪就是现在的SR9步枪。

毛瑟98K狙击步枪

1. 简介

毛瑟98K狙击步枪是二战中德国狙击手的制式武器。为了避免在取下瞄准镜后不至于失去抵抗能力，枪上还备有机械瞄具。在生产中，挑选最好的枪管用于装瞄准镜的步枪。这些步枪的扳机是经过修改的，其扳机力达1.8公斤。

毛瑟98K狙击步枪

根据弗里茨·哈恩所著《1933～1945年间的德国陆军武器和秘密武器》一书中记载，这期间部队总共得到了129468支带瞄准镜的毛瑟98K狙击步枪，其中陆军126291支，空军3147支，海军30支。另外1945年3月1日还有27212支库存，出口3446支。特别优秀的狙击手还得带探照灯和6倍瞄准镜的毛瑟98K步枪，发射单发装填的枪弹。

作为狙击手的辅助瞄具，可以在枪托部位装一个由小潜望镜和附加托架组成的质量为5.6公斤的潜望瞄准装置。这样的枪是一战时堑壕战步枪的改进型。

研究资料表明，德国狙击手用上述狙击步枪能确保在300米距离上击中目标头部，在600米距离上击中胸部。其中第144山地步兵团有个叫马赛纪斯·赫策瑞尔的士兵，他所击中的敌人，有据可查的就达345人，为此还获得了骑士十字勋章。

2. 结构特点

德国毛瑟兄弟设计的毛瑟式枪机安全、简单、坚固和可靠，大多数的旋转后拉式枪机都是根据毛瑟兄弟所设计的原理来设计的。在枪机上有三个突笋，

两个在枪机头部，另一个在枪机尾部。前面的两个突笋就是闭锁突笋，有些人把尾部的突笋误认为是第三个闭锁突笋，但实际上它只是一个保险突笋，并不接触机匣上的闭锁台肩。枪机组很容易从机匣中取出，在机匣左侧有一个枪机卡榫，打开后就能旋转并拉出枪机。毛瑟式枪机的另一个著名特征是它的拉壳钩，有一个结实、厚重的爪式拉壳钩在枪弹一离开弹仓时就立即抓住弹壳底缘，并牢固地控制住枪弹直到抛壳为止。这项技术被称为"受约束供弹"，是保罗·毛瑟在1892年时的重要发明，由于拉壳钩并不随枪机一起旋转，因而避免了步枪上出现双弹的故障。

拉机柄牢固地安装在枪机体上，其设计参考了恩菲尔德步枪的设计而改为固定在枪机后部，直到98K狙击步枪为止，这个拉机柄在枪机闭锁时都是呈水平状态向右直伸而出，只有少数特殊型号（卡宾枪、狙击型和自行车步枪）才是下向弯曲。在1924年研制的标准型步枪上，仍然是使用直拉机柄，直到98K狙击步枪开始，才统一让拉机柄向下弯曲。下弯式拉机柄不但使步枪在携带时更方便，不容易绊上杂物，而且也使枪机操作时更舒适，更便捷。保险杆位于枪机后上方，用右手拇指可以很容易地操作，保险杆有三个操作位置：当保险杆拨到右边时，同时会锁住击发阻铁和枪机体，此时步枪既不能射击，也不能打开枪机；当保险杆拨到中央位置（向上抬起）时，只是锁住阻铁，步枪不能击发，同时挡住瞄准线，但枪机可以打开，能进行装填或清空弹仓的操作；当保险杆拨到左边位置时，只要扣动扳机，步枪就能发射。扳机为两道火式的设计，使得全枪安全又可靠。

双排固定式弹仓是毛瑟步枪的另一个特征，枪弹通过机匣顶部的抛壳口装入。装填枪弹有两种方法，最快的方法就是用桥夹。每条桥夹装5发枪弹，刚好够装满一个弹仓，在机匣环上方有机器切削出来的桥夹导槽，打开枪机后，可以把夹满枪弹的桥夹插在导槽上，然后把5发枪弹用力压进弹仓内。压完弹后，空的桥夹可以用手拨出，但如果不用手拨，在关闭枪机时也会强行抛出桥夹，这样的设计在激烈的战斗中非常有效。另一种方法更简单，只需要打开枪机，用手一发一发地把枪弹压入弹仓内，一次一发。用这种方法装满弹仓会比较慢，但如果在战斗的间隙想把半满的弹仓重新装满，则可以用这种方法。98K狙击步枪更突出其特定能力，

毛瑟98K狙击步枪

德式高倍狙击镜更突出其本身的价值，装备98K狙击步枪的德国狙击手在诺曼底给盟军带来了很大的挫折和伤害，在巷战中尤为突出，而且德国狙击手往往和冲锋枪手配合去伏击美军，或者充当坦克的"眼睛"。可以说98K狙击步枪传承了毛瑟步枪的优势和特点，更大地发挥了自身的优点，但也有其不足，比如射击时枪弹不足，穿透性达不到预期效果，狙击镜视野较窄。但总的来说，98K狙击步枪将其优点发挥到最高的水平，且不逊于英国的李·恩菲尔德式、美国的春田式、前苏联的莫辛纳甘，是一款较为出色的狙击步枪。

以色列狙击步枪

加利尔狙击步枪

1. 简介

加利尔狙击步枪是加利尔 AR 7.62 毫米步枪的狙击型，由以色列 IMI 公司研制。其优点是在野外恶劣环境的适应性好，另外与其他钢制枪托相比，加利尔狙击步枪的折叠枪托用起来非常舒适。直到现在加利尔狙击步枪仍在使用，它主要用于在600米射程内提供精确的火力压制。

因为加利尔狙击步枪实际上是突击步枪的变型，所以它的有些结构是整个加利尔枪族的共同特点。自动方式像卡拉什尼科夫突击步枪一样，加利尔也一直采用机头回转闭锁的导式步枪，内有导气活塞的导管位于枪管的上方。机匣由钢坯铣削而成，没有采用相对廉价的钢板冲压技术。加利尔步枪虽然极其结实，但却比较沉重，加工起来比卡拉什尼科夫突击步枪耗时多，成本高。

2. 射击原理

加利尔狙击步枪自动循环击发以后，弹头被火药气体推向枪管。当弹头走完枪管长度的2/3左右以后，一小部分火药气体被导向枪管上方的活塞系统。在枪机开锁之前，弹头即已出膛，这样枪管里的气体压力和作用于留在膛内的弹壳的气体压力减弱。此

加利尔狙击步枪

时导气活塞被拦截在导气管小的气体压力向后推。导气活塞杆作用于枪机框。在枪机框后退过程中，处于钢制机匣里的两个凸起闭锁的机头，被迫通过由枪机框的控制凸轮强制控制的第三个凸起而做回转运动。机头因此而抬起，枪机与枪机框一起压迫复进簧而回到后方位置，与此同时，空弹壳从大的抛壳口向右前方抛出。

镀铬活塞的圆柱形导环里有6个纵向槽，在重新装弹的过程中，一小部分火药气体经过这些纵向槽向后流入机匣，正好清洗机头上的两个闭锁突笋、两个支撑面。机头弹底窝以及两个在机匣里铣就的枪机框导轨。这样就避免了泥、沙和水进入枪内。

射击方式与能连发射击的加利尔突击步枪不同，加利尔狙击步枪只能单发射击。在枪机后退过程中击发机构中的击锤处于待击状态，然后由保险杆销固定。当射手扣动扳机后，击发卡笋进入击锤上的笋槽，同时释放保险杆销。被压缩的复进簧推动枪机向前并从弹匣里将一发弹输入弹膛。枪机框上的控制凸轮强迫机头回转，使枪机再次闭锁。

双快慢机加利尔狙击步枪上的保险——射击选择杆不仅像AK47突击步枪上的那样位于枪的右侧而便于操作，而且还位于小握把的左侧，可以由右手的拇指操作。两个选择杆由共同的轴连在一起，都作用于击锤。当枪处于保险状态时，射手可以借助枪右边的装填杆将枪机尽量向后拉，直至看到枪弹确实进膛为止。

装填杆和弹匣卡笋为便于左撇子射手操作，装填杆也是陡峭地向上弯。与装满弹时不一样，在枪处于保险状态时，向后拉枪机不会使击锤待击，也不会从弹匣里抓弹入膛。像向上弯曲的装填杆一样，弹匣卡笋也很便于左撇子射手操作。

3. 设计构造

枪托前托后部位于机匣上的凹槽里，前部位于一个钢制导轨中，以可旋转的制动销固定在枪管上。AMR短突击步枪的前托由两部分组成，而加利尔狙击步枪的前托则由一整块木料做成，犹如U字形盒抽屉，内部是钢制件。为了使枪管能自由摆动，前托后部由螺丝固定在机匣上，前部由横向螺钉拧在气体调节器旁的纵向槽里，可以纵向移动。前托从头到尾都与厚枪管有数毫米间隔，这样便于较好地冷却。后托可以折叠和调整长度，其上螺接有可调高低的贴腮板，以便射手利用瞄准镜瞄准时，眼睛与瞄准镜的轴线重合。可以折叠的后托借助一根 L 形的销钉十分牢固地啮合在机匣后部的凹槽中。枪托打开时，狙击步枪全长 1102 毫米，折叠后缩短到了 845 毫米。后托还可用 10 毫米厚的垫块延长。

加利尔狙击步枪

狙击步枪的高精度枪管锤锻而成，与突击步枪不同，其长度达 508 毫米，管壁厚。枪管膛线右旋，缠距 305 毫米，弹膛部位的外径为 30 毫米，枪口部位 18.5 毫米。枪口部装有长 100 毫米、直径 24 毫米的枪口制退器消焰器。卸下枪口制退器消焰器，可以装上消音器。枪口制退器上有孔和槽，由孔、槽逸出的火药气体压迫枪管向下，以便快速地发射第二发弹。另外这些孔、槽还阻止压力波卷起沙粒和灰尘，从而既可使射手不暴露目标，又不会遭到乱飞的颗粒打扰。由于两脚架支座不像突击步枪那样固定在枪管上，而是固定在机匣的下侧，所以枪管可以自由摆动。

由于该枪仅能单发射击，故采用了猎枪扳机，没有微力扳机。扳机很好调整，在克服 1.3 公斤扣力以后，实际上似乎既没有前行也没有落下。

包括狙击步枪在内的所有加利尔步枪都配备有折光瞄准具，两个 L 形的折叠缺口分别表示 300 米和 500 米射程。可以通过螺丝调整方向和高低的准星装在导气管上的一个沟槽里。如果是在光线不好或黑暗情况下，在百米以内射击，可以打开带氚光源的折叠准星和 U 形缺口。枪管长 535 毫米的 AMR 型加利尔长步枪瞄准基线长 475 毫米，枪管长 400 毫米的 SAR 短步枪瞄准基线长 445 毫米。

加利尔狙击步枪上放大 6 倍的 Nimrod 瞄准镜不是安装在枪的上方，而是安装在枪左侧与轴线平行。这样安装的好处是，射手在卧姿举枪时高度降低，因为他的头不必像使用安装在枪管上的瞄准镜那样抬得那么高。瞄具座的造型好，装、卸瞄准镜或像增强器时不会影响命中精度。瞄准镜放在侧面的唯一缺点是只能供右手射手使用，左撇子就不行了。

Nlmrod 瞄准镜是为 M-118 型 0.308 温彻斯特比赛用枪弹校准的，在 1000 米距离上瞄准镜视场 66 米。物镜直径 40 毫米，目镜直径 32 毫米，出瞳立径 6.7 毫米，目镜距眼睛必须达 751 毫米。为了避免侧光的影响，可以用拉伸式防护罩保护，在目镜的镜筒上方有橡皮护盖。在阳光灿烂的白天，可以用螺丝将一个灰色滤光片拧到目镜上，而在黑暗或有雾时，又可换上蓝色滤光片，以增强

光对比度。瞄准镜的像平面上有距离分划，可以借助距离刻度线在像平面上确定到目标的距离。要精确地测定到目标的距离需要激光测距机，其误差小，在10公里距离上不到5米。

两脚架长管型加利尔的枪管上固定有可折叠的两脚架，两脚架上连有铁丝剪，两脚架支座不仅可以在高低上进行数厘米微调，而且还可以进行左右30度的调整。

加利尔狙击步枪

其他机匣前部靠近抛壳口处侧面有一个向外转动的提把。经得起摔打的塑料小握把是加利尔狙击步枪上唯一的塑料件。

到目标的距离可以在瞄具上进行调整。在高低分划调整螺上发出一声咔嗒声相当于100米射程上命中点位移25毫米。通过调整瞄准镜，0.011千克的M118竞赛弹弹头命中点恰好与十字线瞄准点重合。

IMI公司保证加利尔狙击步枪在使用优质枪弹的情况下，在300米距离上100％地命中目标，散布圆直径为120毫米，在600米距离上散布圆直径为300毫米。用这种弹试射表明，在300米距离上10发一组的弹散布圆直径不足80毫米。用重0.010千克的D46 Torpcndo比赛弹头的拉普尔（Lapua）弹，10发一组的散布则不足65毫米。总之，由IMI公司研制的7.62×51毫米加利尔狙击步枪属于这一级别的狙击步枪中最精确的一种。

4. 基本参数

枪全长	1112毫米	枪高	350毫米	枪管长	508毫米
空枪重	7.65公斤	弹匣容量	25发		

TCI M89狙击步枪

以色列TCI公司生产的M89SR（即89型狙击步枪），是以色列生产的美国M14步枪无托改进型。这种武器的前身是20世纪80年代中期以色列Sardius公司研制的M36狙击手武器系统。

M36 SWS和同时期研制的IMI GALAT'Z一样，都是打算取代以色列国防军改装的M14 SWS。以军在20世纪80年代后期对M36 SWS、GALAT'Z和M14 SWS一起进行对比试验，期间M36 SWS在射击精度方面表现最好，而且性能可靠、尺寸紧凑，因此以军一次性订购了1300套M36 SWS。不幸的是，Sardius公司并没有足够的财力和技术资源去按期生产这批数目的步枪。最后GALAT'Z或M36 SWS都没能取代M14 SWS，因此M14 SWS继续使用了11年，直到1997年被美国的M24 SWS所取代。

TCI M89狙击步枪

20世纪90年代初期Sardius公司倒闭，TCI公司获得了M36 SWS的生产权。于是TCI公司对M36步枪进行了改进，采用新的碳纤维枪托，并重新命名为M89。

尽管只是M14的无托型，不过M89的精度非常高，据说在测试中使用以军配发的IMI M852 168格令弹时，最好的一组射弹散布能达到1MOA，而当采用更好的比赛级弹药如M118LR 175格令弹时，M89甚至可以达到0.75 MOA。由于采用了无托结构，因此即使M89的浮置式枪管全长为560毫米，但全枪长度只有850毫米，加上消声器时全长也仅为1030毫米。M89通用M14的20发弹匣，装满实弹时全重为6.28公斤（连同消声器为7.03公斤）。由于尺寸紧凑且重量轻，因此非常适合城市环境下的战斗行动，不过由于射击精度高，也很适合开阔地的战斗。由于是狙击武器，因此只能半自动射击。

20世纪80年代后期以军只购买了50套M36 SWS。M36步枪的全长较短，而且火力也比较强，特别适合一些需要伪装的隐蔽行动。所以装备M36的部队主要是以色列国防军中的便衣特种部队。

奥地利狙击步枪

SSG04狙击步枪

1. 简介

在狙击步枪家族中，奥地利斯太尔公司的SSG69式7.62毫米狙击步枪称得上是其中的佼佼者。自1969年露面至今，它以其优良的性能相继被许多国家和地区的军队装备，如德国、印度、新加坡等。时隔35年，斯太尔公司又

推出了SSG69的继任者——SSG04狙击步枪。该枪虽然继承了SSG69的自动原理、供弹方式、发射方式和闭锁方式，但在内部结构上却是青出于蓝。

2. 构造

SSG04狙击步枪

同SSG69狙击步枪一样，SSG04狙击步枪的黑色枪托也由工程塑料制成，防潮、防热性好，恶劣天气下不变形，经得起粗暴使用，有利于提高射击精度。后托较SSG69的略微平滑，可加缓冲垫，借助两个平滑的翼形螺钉快速调整长度，以适合不同射手的需要。加之托底板和贴腮板的高低可调，人枪达到了完美的组合。枪托外表面去除了SSG69那样的鱼皮状或压花，显得平滑流畅，而且握持舒适。

该枪的前后枪托上安装有背带环，改进了SSG69没有两脚架安装位置的缺点，在前托处安装有可折叠的两脚架。该枪的进弹口很大。位于扳机护圈前部。供弹具摒弃了SSG69的5发旋转式弹仓，采用被称为"高容弹量组合装置"（High-Capacity-Kits）的双排盒式弹匣，它用工程塑料制成，可以装填8发7.62毫米温彻斯特-马格南枪弹或者10发7.62毫米北约制式枪弹。而且在"高容弹量组合装置"上还设计了第二个弹匣卡笋。当把弹匣向外拉出几毫米时，可以将弹匣锁定，此时不能供弹，射手能安全地退弹、装弹，甚至可以装填不同于弹匣里的枪弹。这对于军队狙击手很有意义，因为他们常常要突然地发射穿甲弹或其他特种弹。

枪机是SSG04式狙击步枪最大的亮点。这是斯太尔公司经过8年的反复试验与改进研制成功的，被命名为SBS96"保险枪机"（Safe-Bolt）机构。它完全摒弃了SSG69的老机构，将枪机开锁角由60度改为70度，闭锁突笋移至枪机前端，与枪管实现闭锁。采用后端闭锁机构虽然可以缩短枪机行程，往复过程也顺畅，但此时整个枪机处于受压状态，而不像SBS96"保险枪机"那样只是机头受压。为了提高安全性，新型枪机还设计有一个被闭锁突笋控制的轴衬密闭弹膛。这种闭锁机构在测压试验下，能始终保持平稳、可靠的运动，射手射击感觉十分舒适。由于SSG04狙击步枪采用了这种新颖的枪机机构，行家们认为它有可能在新一代狙击步枪中独占鳌头。如今SBS96枪机已被斯太尔所有单发步枪应用。

SSG04的保险机构也较SSG69有所提高。前者只有两个保险位置，SSG04

则多出一个位置。在拉机柄向下折叠时，将保险杆推向保险位置，能同时锁住枪机及击针，枪机不能打开。

当保险机构处于中间位置时，拉机柄抬起，保险机可推向扳机保险位置，此时枪机能活动，可以推弹入膛，但扣不动扳机。

在射击位置，保险机构中的红点露出，拉机柄处于正常的操作位置。此时射手可以实施射击。这种枪机机构目视非常清晰。

SSG04的瞄具较SSG69的先进了许多。SSG69机匣上有一条机械加工的纵向加强筋，采用杠杆式卡圈固定各型瞄具。而SSG04机匣上方安装有标准皮卡汀尼导轨，可以根据需要安装不同的瞄具。配用的光学瞄具的放大倍率为6倍，最大分划为800米，镜内分划板可以进行方向、高低微调。为应付紧急情况，SSG04还安装了机械瞄具。

SSG04的略带锥度的重型比赛枪管同SSG69一样，也是冷锻成型，外表为磷化处理，无反光，有利于隐蔽。枪管不在枪托中央位置而是偏右，由于采用了浮动式枪管，因此不影响射击精度。而且枪口增加了制退器，可抑制后座和降低枪口焰。火药燃气被导向侧面而不会向下，从而避免吹起地面尘土，确保射手能较好地隐蔽瞄准射击。

3. 射击精确度

SSG04狙击步枪比SSG69短150毫米，为1175毫米，枪管也相应地缩短到600毫米。但全枪重量比SSG69重了0.7公斤，不带光学瞄具为4.9公斤。

使用SSG04狙击步枪进行射击试验，配用的是施米特·本德公司的

SSG04狙击步枪

PMⅡ3狙击步枪的12×50瞄准镜，除了有瞄准照明器外，还有视差调节装置（视差是一个光学术语，对于瞄准镜，是指分划线与目标图像不重合，它们之间的相对位置随眼睛在出瞳处的不同位置观察而改变的现象），可供射手随时调节。在试验台上进行100米射击时，SSG04的射击精度超过了军队最初提出的设计指标。立姿发射多种类型的枪弹，散布圆直径小于20毫米。发射南非的PMP（弹头重11.7克、长14毫米）和温彻斯特（弹头重12.35克、长17毫米）枪弹，性能更加优秀。即使采用诺尔玛或塞里尔-贝洛特枪弹，散布也在30毫米以内。枪管升温后精度变化也不大。存在的问题是瞄准镜前面有闪光。

如果要连续射击多发枪弹，最好安装遮光罩，一般军、警狙击手在进行少量单发射击时则不需要。

SSG69狙击步枪

1. 简介

二战结束后，奥地利联邦国防军建立之初，曾使用过美制7.62毫米斯普林菲尔德M1903A4狙击步枪，后来又采用了德制装配4倍瞄准镜的7.92毫米毛瑟98K狙击步枪，该枪在奥地利被称为SSG59狙击步枪。北约确定7.62×51毫米弹为制式枪弹后，SSG59还曾被改为7.62毫米口径。上述两种武器都是由军用步枪改装的狙击步枪，虽然在战场上曾有出色的表现，但由于军用步枪是精度、可靠性、制造成本等各项性能折衷的产物，因此并不是理想的狙击步枪，而且二战时期的技术、战术指标已不能满足现代战争的要求。

2. 研制背景

SSG69狙击步枪

20世纪60年代中期，奥地利军队委托斯太尔公司研制一支现代军、警两用狙击步枪，要求在400米距离上击中头像靶、600米距离上击中胸环靶、800米距离上对移动靶命中率达到80％。几年后，新型狙击步枪研制成功。1969年，该枪正式装备奥地利联邦国防军，并被命名为SSG69狙击步枪。这支新枪集成了当时最新的技术成果，也继承了曼利夏步枪的传统特点，由于性能出色，许多国家的特种部队都装备此枪，如奥地利宪兵突击队、德国的GSG9（边防军第9反恐怖大队）等。特别值得注意的是，印度特种部队也装备此枪，新加坡军队中的狙击手侦察组，装备SSG69狙击步枪和21速自行车，通常两人一组行动。

3. 设计构造

SSG69枪管采用冷锻工艺制造，即先把枪管毛坯置于一个心轴上（心轴外表面刻有与枪管膛线相对应的纹路），经过机器锤锻，在枪管内表面加工出膛线。同时，枪管外部也刻上了冷锻留下的螺旋型纹路，这是冷锻枪管的标志，但也有些国家特意把这种花纹磨去。冷锻工艺的运用提高了内膛光洁度、尺寸精度、表面强度，延长了枪管的寿命，使枪的射击精度也相应提高，而且便于

加工锥形枪管，可以减小质量。冷锻工艺是斯太尔公司最先提出的，后来世界上很多国家都采用斯太尔公司的冷锻机床加工枪管。SSG69的枪管只与节套连接，与护木无接触点，这种结构被称为浮动枪管。浮动枪管有利于提高射击精度，一些在二战后研制出来的狙击步枪普遍采用这种结构。枪管内膛端面的形状对精度影响也很大，SSG69的枪管内膛端面倒角，以保护膛线末端不被外力碰伤或磨损。SSG69的枪管表面采用磷化处理，无反光，利于隐蔽。

SSG69的枪托、扳机护圈和弹仓等部件采用工程塑料。枪托内部中空，后部装有4层10毫米宽的托底板，可以调节枪托长度，但贴腮位置不可调节。与SSG69同时代的西方狙击步枪如瑞士的SSG2000、德国的SP66等，大多采用漂亮的胡桃木枪托，而奥地利则倾向于采用工程塑料。工程塑料枪托和传统的胡桃木枪托相比，质量减小，成型与表面处理工艺简单，耐腐蚀，抗冲击力强，更适合在湿热环境下使用。

奥军曾短期装备的M1903A4和SSG59的枪机都是采用回转90度、前端闭锁的毛瑟枪机（M1903A4实际上就是美国版的毛瑟步枪，因为在美西战争中，美军深刻体会到了西班牙军队手中毛瑟步枪的威力，所以进行了仿制）。毛瑟枪机是毛瑟公司成功的法宝之一，其具有举世公认的坚固性和可靠性，可以说二战时期世界上大多数军用步枪都是在毛瑟枪机的基础上进行研制的。由于奥地利更为重视步枪的速射性能，所以SSG69采用回转60度、后端闭锁的枪机。奥地利在设计后端闭锁结构方面有着丰富的经验，如曼利夏M1888 8毫米步枪就是采用后端卡铁摆动闭锁方式的直拉枪机，其优点是射手操作动作小、枪机行程短（前端闭锁的枪机行程是枪弹长度加闭锁突笋的长度）。后端闭锁结构的缺点是枪机体处于受压状态，对精度有不利影响，而且机匣开口位于闭锁斜面的右前方，因此对机匣强度不利。对此SSG69的节套加长到51毫米（正好相当于该枪的弹壳长度），整个弹膛位于机匣内，弥补了上述缺陷，而且机匣和枪管结合更加牢固。

SSG69枪机体前端的弹底窝较深，装有弹性抛壳挺和粗壮结实的抽壳钩，枪机体和闭锁件为分离式，拉机柄固定在闭锁件上，枪机体不旋转，只做前后直线运动，因此抽壳钩不需要像毛瑟枪机那样与枪机体分离安装。弹性抛壳挺抛壳力较小，因此对污物比较敏感，需要经常擦拭。SSG69枪机的闭锁件有3对共6个对称排列的闭锁突笋，和机匣内的闭锁槽配合实现开锁、闭锁。理论上，闭锁支撑面沿枪身轴线对称，有利于提高射击精度。SSG69枪机的3对闭

SSG69狙击步枪

锁突笋与毛瑟枪机2个大型闭锁突笋相比，减小了机匣直径，作用在闭锁突笋和机匣上的受力分布更均匀。一旦闭锁突笋出现磨损，更换闭锁件也很方便。

当射手上抬拉机柄，使闭锁件完成开锁动作的同时，闭锁件后部的曲线槽和枪机体上的直线槽配合，压缩击针后退到待击位置。枪机推弹入膛，只要拉机柄没有下压到位，闭锁件没有转到完全闭锁位置，曲线槽就始终限制击针行程，撞击不到底火。

SSG69的击针尾部没有很多老式步枪上那种较重的尾铁，这样击针动作更平稳，有利于提高射击精度。击针处于待击位置时，击针尾部凸出机匣后部5毫米左右，即使在夜间也可以用手摸到。老式步枪上较重的尾铁可以增加击针惯性，动作可靠性好，但震动也大，有些步枪的尾铁还兼作保险机构和击针待击装置。SSG69枪机结构比毛瑟枪机更简单，击发更平稳。

SSG69可采用5发旋转式弹仓或10发双排弹匣供弹，5发弹仓步枪主要面向限制大容量弹仓的国家销售，10发双排弹匣步枪更适合军用领域。

SSG69的5发旋转式弹仓中，枪弹围绕弹仓中轴排列，弹仓由工程塑料制成，质量小，价格便宜，有透明后盖，可以观察剩余枪弹的数量。弹仓两侧有很大的卡笋，冬季即使戴手套也可以方便地卸下弹仓。这种独特的结构来自于斯太尔公司为希腊军队生产的6.5毫米曼利夏-舍瑙厄尔M1903步枪。舍瑙厄尔旋转式弹仓中的枪弹采用弹壳肩部定位，暴露的铅弹头不会因为受到压力而变形，舍瑙厄尔旋转式弹仓非常适合发射软尖弹，但加工比较复杂，所以不如毛瑟弹仓使用广泛。软尖弹杀伤威力大，虽然受海牙国际公约的限制不能用于战争，但可以在国内准军事行动、执法和狩猎范围内使用。

SSG69供弹具还配有单发插头，单发插头插入弹仓后就可以把SSG69变成一种手动装填步枪，通常用于试射或射击远距离目标。一战时很多老式步枪都有类似的机构，因为当时的军官希望限制士兵消耗弹药，如英国

SSG69狙击步枪

的李·恩菲尔德 No.1 MK Ⅲ 型步枪上就采用这种古老的设计，但到二战时就几乎没有采用这种不合时宜结构的军用步枪了。SSG69重新采用单发插头是为了尽量减少可能影响精度的不利因素。

SSG69采用单扳机、双扳机两种发射机构，可互换。单扳机机构有明显的预压段，扳机力可在16～18牛顿之间调节，适合军用和狩猎，因为军用条件下扳机力不能太轻，以免走火。双扳机机构中，第2道扳机力极轻，用指尖轻触即可击发。有的射手习惯用食指扣压第1道扳机，用中指扣压第2道扳机，因为食指用力后已经失去灵敏度。双扳机机构更适合警用与比赛，也常见于猎枪上，可以进一步提高射击精度。

SSG69保险卡锁位于机匣后端右上方，向后推即是保险位置，可同时锁定击针、枪机，保险功能比较完善。但当击针处于待机位置时，后推保险卡锁的阻力较大。

SSG69的瞄准系统包括白光瞄准镜、机械瞄具、红外夜视仪和微光夜视仪。

卡赫列斯公司生产的ZF69型6×42瞄准镜是专门为SSG69设计的，镜内分划由一个垂直光栅和多道横向光栅组成，距离100～800米。多道横向光栅在狙击步枪上比较少见，常见于机枪瞄准镜，因为横向光栅过多，容易遮挡目标。但是由于奥地利军队最初的设计要求中加入了800米射击移动靶的条件，所以斯太尔公司采用了这种瞄准镜分划。对于一些不适应这种多道光栅分划的射手，卡赫列斯公司还提供T形和十字形分划的6×42瞄准镜。

ZF69型瞄准镜还可专门针对弹头的旋转偏流进行修正。

ZF69型瞄准镜无测距分划，相对于美国M21或苏联德拉戈诺夫等军用狙击步枪配用的可以简易测距的瞄准镜来说是个缺点，需要射手的经验或激光测距仪提供目标距离。

SSG69也可以使用其他瞄准镜，如3～9倍瞄准镜，这种瞄准镜更适合警用。SSG69的瞄准镜安装在机匣上

ZF69型瞄准镜

方的燕尾槽中，只需把镜架右侧的两个旋钮逆时针转到水平位置，即可把瞄准镜向后推，然后从上方卸下。

SSG69的机械瞄准具采用片状准星和V形照门。照门上部是V形，利于快速瞄准近距离目标；下部的缺口部分是矩形，可做精确瞄准。照门不能调节射角，因此SSG69的机械瞄准具只适合作为应急时自卫，不能代替光学瞄准具。毛瑟和莫辛纳甘等老式狙击步枪即使没有光学瞄准具，也可以用机械瞄准具射击600米左右的目标，有的甚至能达到800米。

SSG69有0.308英寸、0.243英寸两种口径，枪的口径标识在枪管中部左侧和弹仓底板位置。0.308温彻斯特弹又称7.62毫米北约军队的制式枪弹。不过北约各个国家生产的7.62毫米北约弹的质量和初速都略有差别。

0.243温彻斯特弹又称6.0×53毫米弹，是在0.308温彻斯特弹基础上开发的，弹壳尺寸基本相似，因此除枪管和弹仓外，其他零件不需要做大的改动。0.243温彻斯特弹的弹头重量6.2克，初速950米/秒，对胸环靶直射距离630米，弹头飞行时间0.6秒。该弹用于准军事行动和警用更为理想，因为在这些行动中，敌对方常没有固定阵地，目标暴露时间短，弹道低伸可以弥补测距误差，弹头飞行速度快，适合射击运动目标。由于0.243英寸温彻斯特弹头质量小、失速快、风偏较大，所以远射性能不如0.308温彻斯特弹。

4. 战斗性能

精度是狙击步枪最重要的指标之一。专门执行反恐任务的奥地利宪兵突击队（GEK）的射手用SSG69可以在100米处击中一枚硬币、500米处命中头像靶、800米处命中胸环靶。这个成绩大大超出奥地利军队最初提出的设计指标，特别是在远距离上仍然保持了很好的射击精度。

SSG69狙击步枪

对于一支军用狙击步枪来说，仅仅表现出良好的精度是不够的。GEK还要求射手采取卧姿在55秒内对120米距离上的头像靶连续射击8发，这是对SSG69快速射击能力和人机工程的检验。

SSG69空枪重为3.9公斤，安装瞄准镜和空弹匣后，全枪重为4.3公斤。很多同样口径的，且精度和SSG69不

相上下的狙击步枪的重量则要大得多。如德国的毛瑟SP66全枪重为6.25公斤，瑞士的SSG2000全枪重为6.6公斤，英国的L96A1全枪重为6.5公斤，美国的M24狙击步枪全枪重为5.31公斤。对于机械化部队的狙击手来说，武器重量也许不是特别重要的指标，但是对于在高原、山地、极地、丛林作战的狙击手来说，一支既精确又轻便的武器则非常重要。因为在极端恶劣条件下，人的体能会下降30%～50%，单兵负荷应在20～25公斤，其中还包括被服和给养的质量，武器系统能减轻1公斤甚至0.5公斤，对提高士兵的生存能力是至关重要的。

世界各国狙击步枪

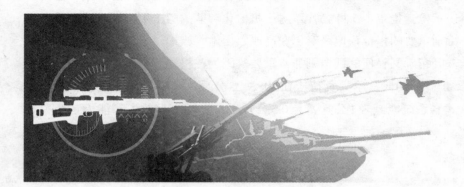

世界著名狙击手

澳大利亚华裔狙击手沈比利

1. 简介

沈比利（Billy Sing，全名William Edward Sing），华裔，来自澳大利亚昆士兰州中部的一个采矿小镇克勒蒙特，是第一次世界大战中击中目标最多的狙击手。

华裔狙击手沈比利

沈比利的父亲出生于上海，移民澳大利亚之前是一名郊区菜农，母亲玛丽安是一名护士。沈比利小时候常常在学校得奖，教育部的调查报告里说他"聪明伶俐，有教养"。不过当时的澳大利亚仍然是拓荒时期，几乎没有什么高等学府，十几岁时沈比利因此不得不辍学。辍学后的沈比利砍过甘蔗，放过牛羊，也干过农活。闲暇时，沈比利时常在家乡附近打袋鼠，对这些早期拓荒者来说，打袋鼠是仅有的几项娱乐活动之一。在家乡克勒蒙特他还是一个有名的袋鼠猎手。袋鼠猎手的枪法一定得好，因为袋鼠是群居动物，常常几十只一起活动。如不能一枪将它打死，受伤的袋鼠会乱蹦乱

跳，其他的袋鼠就会逃走。如能一枪毙命，一只突然躺下的袋鼠是不会引起其他袋鼠的警觉的，因为袋鼠很多时间都是躺着的。

沈比利要求自己必须百发百中。这种经历对狙击手来说是非常宝贵的经验。

2. 从军

澳大利亚在一战爆发后共向海外派遣了多达33万的军队加入协约国一方作战，而当时全国总人口仅为480万。一战爆发前沈比利赶过大车，砍过甘蔗，干过农活。服役前他就在昆士兰州中部以枪法出众而闻名。

狙击手沈比利

1914年10月24日，一战爆发两个月后，28岁的沈比利于普罗瑟潘加入了澳大利亚远征军，隶属第5轻装骑兵团。当时全国的适龄年轻人都踊跃报名参军，一方面为了"国王和帝国"，另一方面可以出国见识一番，而且军队里不用花钱，给的薪水又高，一个普通士兵的日薪有六先令。当时沈比利的父亲已经去世，他参军也可能是为了养活家人。根据现存澳大利亚国家档案馆的沈比利服役记录，他当时未婚，身高5英尺5英寸（1.65米），体重141磅（64公斤），肤色黝黑。沈比利加入了澳大利亚远征军后，被派往欧洲加里波利半岛的波尔顿岭。

当时加里波利的协约国军方面包括英国、法国、澳大利亚、新西兰，甚至还有印度军队。因为战场地形不适合骑兵作战，所有的澳大利亚轻装骑兵全部下马转成步兵。沈比利的狙击点设在岭上的一个叫做切森高地的地方。在这里他展示了惊人的狙击天赋。

对面土耳其军队的指挥官乃是后来成为该国国父的穆斯塔法·基马尔，时任土耳其第19师师长。两军战壕犬牙交错，最近的距离仅有20米。就是在切森高地上，沈比利开始了他的狙击生涯。

据战友们回忆，"小个子，黑皮肤，上唇留八字须，下巴一撮山羊胡"的沈比利耐性特别好，可以长时间端枪瞄准而不感到疲倦。还有一个特长就是视力非常好，别人用望远镜才能看清的东西他用肉眼就可看清。他用来狙击的是普通制式步枪，而且是不装瞄准镜的。

3. 狙击生涯

狙击手并不是像电影上那样瞄准了就开枪，除了要懂得隐蔽自己之外，他

掩体内的沈比利和战友

们在开枪时还得估算风力、风向、距离等因素。沈比利通常有一名观察员做他的助手，他们总是在黎明前的黑暗中进入狙击点，直至傍晚天完全黑了之后才撤离。这样他们在白天里就几乎不被人发觉。这种两人一组的战术在一战时还很少有人使用，直到二战才被广泛应用。狙击手与观察员的角色是可以互换的，因为用瞄准镜观察时间久了眼睛会疲倦，视力也会下降，而且有人做伴，狙击手也不会感到寂寞。

战场上的对手接二连三地倒在了沈比利的枪口下，这消息很快在盟军战壕里流传，他的事迹登上了盟军战报，连伦敦的《每日电讯报》和美国的几家报纸也都有报道。这个澳大利亚的马车夫一时间名扬全球。

沈比利在战场上的表现引起了加里波利前线英、法、澳、新、印联军总司令伯得·伍德将军及其他军官的注意，伯得·伍德称沈比利为他的"最心爱的狙击手"，并且曾经告诉基钦纳勋爵，如果每个士兵都有沈比利那样的好枪法，协约国军早就打到君士坦丁堡了。这位基钦纳勋爵来头可不小，他是一战中大英帝国的战争部长，还是所有英联邦同盟军的总司令官。

沈比利的每一个击杀纪录都是经过证实的，即每一次击杀都由观察员通过望远镜确认敌人中弹倒下才算。沈比利也不会因为观察员不在身边而放弃狙击。当他单独行动时，他一定也干掉了不少敌军，所以他的实际狙击成果一定是高于150名敌人的。沈比利对自己的要求非常严格。总司令官伯得·伍德将军曾有一次亲临沈比利的狙击掩体为他做观察员。沈比利瞄准之后开了一枪，结果正好一阵风刮过将子弹吹偏了少许，打中了站在他瞄准的目标身边的另一个敌兵。在旁边做观察员的伯得·伍德将军欢呼："打中了！打中了……"沈比利说道："我瞄准的不是倒下的那个，所以这一枪不能算。"后来伯得·伍德将军在1915年10月对沈比利通报嘉奖时将他的狙击成果认定为200人，而英、美报纸在刊登他的事迹时公开他的狙击人数是201人。

4. 战场对决

土耳其方面经过德国人训练的狙击手也不是吃素的。1915年8月25日，沈比利的观察员汤姆·西恩被一颗子弹从他的望远镜一头射入后从另一头穿出，划破他的手射入口腔，接着穿破左脸颊，最后击中在他身边的沈比利的右肩。汤姆不得不被送回澳洲本土，而沈比利也花了一个星期的时间在后方休养。

伤好以后，沈比利返回前线重操旧业。最多的时候他一天曾击毙9名敌兵。他的战友伊恩·伊德里斯根据俘虏口供及在敌军尸体上找到的日记在其著作《幸运的死亡》中写道："这次土耳其人派出了他们王牌中的王牌来对付沈比利，这是一名身经百战的奥斯曼近卫军狙击手。倒在他枪口下的有俄国人、希腊人、保加利亚人，还有阿拉伯人。奥斯曼帝国苏丹阿卜杜尔·哈米德二世曾亲手为他颁发勋章。他被近卫军士兵们尊称为'死亡之母'，澳军士兵给他起了个绰号，叫做'可怕的阿布都尔'。"

这位被称为"死亡之母"的阿布都尔有着深褐色的眼睛，浓黑的眉毛下是老鹰般敏锐的目光，薄薄的嘴唇上生着一只大鹰钩鼻。他的狙击埋伏点上盖着一条涂着黄、绿、褐色的毡子，他的军帽、面孔及双手上涂满了泥土，他暴露在外的只有一双眼睛和一只黑洞洞的枪口。

近卫军王牌果然名不虚传，澳军士兵不断地倒在他的枪口下。连澳大利亚第一师师长布里基斯少将在前线快步通过一段危险区时也被他击中大腿，后因流血过多不治而死。布里基斯少将平日里常常和士兵们打成一片，深受大家的爱戴。他的遗体被运回国后，澳大利亚政府为他在墨尔本举行了国葬仪式，墓地设在位于首都堪培拉的顿特鲁恩军校。澳军士兵们咽不下这口气，决心要为布里基斯少将报仇。

阿布都尔知道，最难对付的敌人是对面澳军的那个狙击高手。为了发现对手的狙击点，他像一个精明的侦探一样寻找蛛丝马迹。终于有一天傍晚他向长官报告，对方高手的狙击点就设在切森高地上，确切位置已被他发现，明天日落前这个讨厌的澳大利亚人就会被除掉。

第二天，沈比利和他的观察员像往常一样早早地进入了自己的狙击掩体。沈比利的精神不太好，抱着步枪一边打哈欠一边伸懒腰。

观察员开始瞭望工作不久就突然发出

沈比利和观察员在掩体内执行任务

世界著名狙击手

127

一声惊呼："天哪，快来看！"

沈比利一下子警觉起来，他接过望远镜按观察员示意的方向看过去，只见一张涂满泥土的脸，鹰钩鼻，两只大眼睛，还有一个黑洞洞的枪口。前面有那么多的土军阵地，阿布都尔又隐蔽得那么好，但还是被观察员一下子就发现了。

"当心点"，观察员说道，"他的眼睛就像老鹰一样，而且他正盯着我们这儿。"

沈比利嘀咕了一句："不是他死就是我亡。"

沈比利侧着身子将枪眼前的障碍物慢慢地挪开。阿布都尔并不知道沈比利已经发现他了。就在此时，沈比利的枪口喷火了，子弹正中阿布都尔的眉心。

自己方面的王牌狙击手被打死之后，土耳其人又试图用大炮把沈比利炸死。第一发炮弹落在了离狙击掩体不远的地方，机灵的沈比利觉得苗头不对就赶紧溜了。土耳其人矫正弹着点后第二发炮弹把狙击掩体炸得粉碎，但连沈比利的一根头发也没伤着。

尽管沈比利射杀了那么多的目标，但他对敌人并没有太多的仇恨，认为自己只是尽忠职守而已。在沈比利的眼里，敌军掩体后的人头可能和澳大利亚丛林里的袋鼠头没有什么分别，整个战争只是一场大规模的狩猎游戏而已。当美国合众社记者于1915年底采访他时，他说道："我对杀人这件事并不感到内疚，因为土耳其人一直想把我干掉，只不过让我占了上风。略微让我感到遗憾的是对手不是德国人而是土耳其人。因为我觉得土耳其人也都是好汉，他们打起仗来十分勇敢。"

盟军从加里波利撤离后，沈比利从第5轻装骑兵团转到第31步兵营，他随着部队又转战四方。服役记录上记载他在1915年、1917年、1918年分别负过三次枪伤，中了至少一次毒气，双腿曾被炮弹碎片击伤，得过流行性腮腺炎、流感、痔疮、肌肉疼痛和风湿性关节炎等多种病症，而且旧伤也不时发作，以至于住院对他来说成了家常便饭。

一战末期，沈比利于1918年9月20日回到墨尔本，一战结束后沈比利于布里斯班退役。他于年底返回家乡时，普罗瑟潘的乡亲们在乐队的伴奏下将他从火车站一路接到市政厅，并在那里举行了盛大的欢迎仪式，当地的头面人物也登台致辞，对这位勇士所取得的成就表示祝贺。

1943年5月19日清晨7时20分，年仅57岁的沈比利死在他租住的廉价旅

馆里，身上还穿着睡衣。死因乃是动脉血管破裂。这位曾经一度名满天下的王牌狙击手就这样孤零零地告别了人世。

苏联狙击手

瓦西里·扎伊采夫

1. 简介

瓦西里·扎伊采夫上尉是一位有名的二战时期苏联陆军狙击手，他在1942年斯大林格勒战役中，于11月10日至12月17日之间共击毙了225名德意志国防军和其他轴心国的士兵与军官而一战成名。在二战期间共击毙德军400名。由他培训的狙击手共毙敌约一万名。战后他被提升为陆军少将。美国反映卫国战争的电影《兵临城下》的男主角就是瓦西里·扎伊采夫的原型。

瓦西里·扎伊采夫

瓦西里出生于耶勒宁斯科耶（又称为亚列宁斯科亚），于乌拉山脉长大。瓦西里的姓氏"扎伊采夫"这个名字在俄语与野兔有相近的意思（同字根）。在前往斯大林格勒前，服役于苏联海军并担任岸勤人员，直到他从报章杂志得知斯大林格勒战役的惨烈之后，就自愿加入这一场有史以来最残酷的会战。瓦西里被分派到苏联陆军第62军第284步兵师第1047团。

由于瓦西里在斯大林格勒战役中成名，所以俄国人在斯大林格勒的拉祖尔化学工厂成立狙击学校并由他亲自负责训练。由于扎伊采夫的姓氏涵义的关系，因此所开办的狙击手学校训练出的学生又被昵称为"小兔兔"。在安东尼·毕佛所著的《斯大林格勒》中，毕佛认为在拉祖尔化工厂所开办的学校正是第62军以及苏联陆军的"狙击手运动"的滥觞，部队之间开始举办训练营并且宣扬狙击法则，以"大锅炒"的方式为训练原则，学员与官兵们热烈地彼此互相交换关于狙击技巧与战术的想法以及

瓦西里·扎伊采夫

世界著名狙击手

原则等。

根据一项估计，这些培养出来的狙击手一共造成超过3000个轴心国官兵的惨重死伤。

瓦西里服役至1943年1月，因为眼睛被地雷炸伤而休养，之后他由维拉米尔·费拉托夫教授照顾，并且治疗他的眼睛。瓦西里最后重返战场，并且参加德涅斯特河战役，当时已经是上尉了。

战后瓦西里造访柏林，并与军中同胞们相见。同胞们赠送一把新的狙击枪给他，上面刻着："敬苏联英雄瓦西里·扎伊采夫，在斯大林格勒杀死了超过300个法西斯分子。"后瓦西里便在基辅经营工厂，一直到去世前都住在基辅，享年76岁。2006年1月31日，瓦西里·扎伊采夫的遗体以隆重的军礼被重新迁葬到马马耶夫岗。由于瓦西里的遗愿是希望将他的遗体埋在斯大林格勒战役纪念碑下，所以他的棺木被埋葬在纪念碑旁，碑上则写着瓦西里的名言："我们没有任何撤退的余地"。

2. 狙击生涯

论战绩，苏联英雄、功勋狙击手扎伊采夫并不那么显赫，二战中消灭300名以上敌人的狙击手在苏军中就有20多人。然而扎伊采夫在军史学家眼中声誉最高，这不仅是因为他为狙击学的发展做出了贡献，而且是由于他战胜了德军最著名的狙击手之王——科宁斯。

1942年秋，苏军的狙击手们在斯大林格勒防御战中大显神威，令德军吃足了苦头。军事记者们更使62集团军284步兵师1047团的狙击手扎依采夫名声大噪，他曾在10天内击毙42名德军士兵。

希特勒的将军们决定拔掉这颗钉子，德军第6集团军司令部要求将德军的王牌狙击手调来斯大林格勒前线专门对付扎伊采夫。重任落在了德军柏林狙击兵学校校长科宁斯上校的肩上。从柏林飞抵前线的科宁斯率先开始行动。他打死了两名苏军狙击手，每个都是一发命中。

双方都在为这场决战进行准备。前线一片寂静，只有零星的炮声和飞机轰炸声偶尔响起，连狙击手们的枪声也似乎销声匿迹了。这段时间，扎伊采夫和伙伴库利科夫研究了从马马耶夫高地到"红十月"工厂这一段前线，标下了所有的地形、地物，瓦砾成堆的街道，楼房的断壁残垣，折断的柱子，被焚毁的汽车，有上千个德国狙击手可藏身的埋伏点。扎伊采夫清楚，科宁斯就躲在其中一处。

一天，一名德国枪手击碎了莫罗佐夫中士狙击步枪上的光学瞄准镜，击伤了另一名狙击手沙侬金中士。莫罗佐夫和沙侬金两人都是有经验的射手，他们经常在最困难的决斗中获胜。毫无疑问，他们这次遇到了最强劲的对手。紧张的对峙已经持续了两天。第三天从早晨起，城市上空炮声不断，战线上热闹起来，狙击手们伏身掩体，眼不离光学瞄准镜，不间断地监视着前方发生的一切。政治指导员达尼洛夫也不甘寂寞，一大早就钻进狙击手的掩蔽部观战。太阳升起后，达尼洛夫好像忽然看见了什么，他兴奋地跪起身来喊："他在那儿！"他的话音

瓦西里·扎伊采夫蜡像

未落，德国枪手迅速做出反应，一枪击中正在做手势的达尼洛夫的肩膀。科宁斯没有打达尼洛夫的头部，他希望扎伊采夫跳起来救助受伤的战友，从而暴露自己。达尼洛夫尖叫着倒在地上。扎伊采夫纹丝未动，他仍眼望前方，心里琢磨射击来自何处。科宁斯再没开枪，他沉默着，任凭苏军卫生兵带着担架爬过瓦砾匆匆忙忙把达尼洛夫放上担架抬走。

扎伊采夫拿起望远镜观察，一块斜支在墙角的钢板引起他的注意。钢板上乱放着一些碎砖头，它位于德军防线的前方。站在敌人的角度考虑，狙击点设在哪里最好呢？钢板下是否被挖成了掩体，敌人的枪手昼伏夜出？扎伊采夫默默地思索着。对，科宁斯上校就在那块钢板下。钢板下就是德国枪手绝妙的巢穴。扎伊采夫把枪口瞄准钢板下的暗点。既然狙击阵地被指导员暴露了，科宁斯判断苏军狙击手会变换阵地。在这种情况下，有任何动静，德国人都会开枪射击。扎伊采夫把一只手套套在一块木板上举过头顶。科宁斯一枪将其击穿。终于上钩了。

扎伊采夫察看了被击穿的手套，不偏不斜，直接命中。这就是说子弹来自正前方，德军的王牌枪手就藏在钢板之下。现在应当把他引出来。怎么引？他决定变换阵地，明天从另一个方向收拾他。

次日早晨，秋天的阳光穿过城市废墟从德国人背后照射在狙击手们的脸上。扎伊采夫决定等过了上午再行动，因为瞄准镜的反光可能会把位置暴露给德国人。午后，苏军狙击兵的步枪已处于背光位置，而科宁斯的阵地则暴露在直射阳光之下。钢板边上有一个东西在闪光。是一块破玻璃片，还是敌人枪上

瓦西里·扎伊采夫雕像

的瞄准镜？是采取决定性步骤的时候了。

观察员库利科夫小心翼翼地把头盔稍稍向上举起。而扎伊采夫集中全部注意力瞄准钢板下的暗点。计谋成功了。科宁斯沉不住气了，他大概打算早点结束决斗。随着一声枪响，库利科夫顺势将身子一挺，大叫一声倒下去。此刻德国王牌枪手科宁斯有些大意了，从铁板下探出半个脑袋窥视。等待已久的时机到来了，扎伊采夫迅速扣动了扳机。这是他四天来射出的唯一一颗子弹。这颗子弹击中德国头号枪手的前额，穿过后脑勺和头盔飞出。天黑后，苏军284步兵师的部队开始进攻。在战斗炽烈时刻，扎伊采夫和库利科夫从铁板下拖出被击毙的德国枪手的尸体，搜出死者身上的证件。证件表明被击毙者正是赫赫有名的德军常胜枪手科宁斯上校。

柳德米拉·米哈伊尔洛夫娜·帕夫利琴科

1. 简介

柳德米拉·米哈伊尔洛夫娜·帕夫利琴科于1916年6月12日出生在乌克兰贝里亚·特沙科夫的一个小村庄。在孩童时代，"柳拉"是一个学习勤奋成绩优良而又具有独立精神的好学生，那时她的

世界充满了美好。活泼可爱的小姑娘无论如何也没有想到，有一天自己会举起枪来杀人。在她上到9年级时，搬家到了基辅，平静地度过了自己的中学时代。毕业后，她在那找到了一份工作。同时她也常常参加一家射击俱乐部的活动，沉稳坚韧的性格，再加上聪慧和刻苦，使她很快成长为一名神枪手。

2. 狙击生涯

1941年6月22日，德国入侵苏联时，柳德米拉已经是25岁的基辅国立大学主修历史的学生了。和许多同学一样，柳德米拉报名参加了

红军，她近乎标准的女军人仪表赢得了招兵官员的青睐，他们认为她可以做一个很优秀的后勤人员或者战地护士，但是她却表示希望拿起一支步枪到前线直接打击敌人，要做一名真正的战士。招兵军官笑了起来，问她："你知道怎么拿枪吗？"柳德米拉马上熟练地摆出了瞄准的架势，并自信地说自己可是个神枪手。但是军官仍然试图劝说柳德米拉成为一个战地护士，他们向她描述战场的残酷和血腥："子弹可不会管你是不是女人。"柳德米拉最终选择加入红军，到第25步兵师做了一名步枪射手。

1941年8月，第25步兵师奉命保卫位于巴亚耶夫卡附近的比利亚夫卡。柳德米拉接到命令，将要执行她的第一次狙击任务。她找到一个隐蔽的位置潜伏下来，等待着目标的出现。等待是漫长而折磨人的，柳德米拉紧紧握着手中的步枪，强迫自己抛弃恐惧和紧张，消除任何杂念。目标出现了！这与在射击俱乐部射出的任何一发子弹都不同，这一枪是射向一个鲜活的生命，这一枪的任务是杀人！25岁的姑娘告诉自己，这是敌人，这是战场，这是为祖国而战！枪响了，敌人倒下了。柳德米拉获得了她的第一个战果。第二个目标又出现了，此刻的柳德米拉已经没有丝毫犹豫，敌人瞬间毙命。她真正的狙击生涯由此开始了。

柳德米拉和一个观察兵一道活动，武器是一支带 P.E.4 瞄准具的莫辛纳甘1891/30型7.62毫米狙击步枪。这种5发弹仓的步枪初速是853米/秒，有效射程超过550米，是当时最好的狙击步枪之一。在敖德萨作战的两个半月里，投入战斗不久的柳德米拉竟然一共射杀了187个敌人，成为苏军赫赫有名的女狙击手。然而柳德米拉改变不了战局，敖德萨终于在德军的强大攻势下无法坚守，苏军撤往塞瓦斯托波尔，柳德米拉随部队投入了塞瓦斯托波尔更残酷的战斗。

1942年6月，26岁的柳德米拉不幸被德军迫击炮弹炸伤。苏军最高统帅斯大林得知这一消息后，立即下令，安排柳德米拉乘潜艇撤离塞瓦斯托波尔。参战不到一年时间，柳德米拉的狙击战果已达309个敌人。这个数字不但震惊了全国，也震惊了整个世界。7月份，柳德米拉作为二战的盟友访问了美国，成为第一个被罗斯福总统接见的苏联公民，随后柳德米拉被安排在美洲继续访问。她在加拿大等国进行演讲，讲述自己在反法西斯战争中的狙击经历。回国后，被晋升为近卫军少校的女英雄柳德米拉在上级的安排下再没有参加过战斗。

3. 荣誉

1943年10月25日，她被授予苏联英雄的荣誉称号和金星勋章。战后的1945～1953年，她在苏联海军供职，并晋升海军少将军衔。1976年，以她为主题，苏联发行了一枚纪念邮票。柳德米拉从海军退役后，又在苏联军事支援辅助委员会供职。1974年10与10日，柳德米拉·米哈伊尔洛夫娜·帕夫利琴科不幸逝世，年仅58岁，被安葬在莫斯科的Novodevichiye公墓。

费奥多·玛维耶维奇·欧克洛普科夫

1. 简介

费奥多·玛维耶维奇·欧克洛普科夫生于1908年3月2日，1968年5月28日逝世，享年60岁。费奥多为二战期间苏联陆军杀敌数排名第8的狙击手，一共击杀429人。

费奥多出生的村庄被雷纳河与阿唐河平行包围，加上又是永冻土的关系，仅有非常少数人尝试务农，或从事林业，大部分以游牧、狩猎与毛皮交易维生。费奥多就是在学习狩猎的情形下学习使用枪械，并且发挥这一项专长。

2. 狙击生涯

1939年，苏联与芬兰之间爆发战争，费奥多就像西蒙·海耶一样在此役中一战成名，双方彼此都发挥了猎人的本色。不过这个时候西蒙已经先打响了名号。随着《莫斯科和平协定》的签订，费奥多又回到了故乡。不过和平的日子没有持续太久，德国入侵之后，苏联政府发布"总动员令"，于是费奥多就跟兄长一起加入西伯利亚第1243狙击步兵团，经由西伯利亚铁路被送到西部前线直接与德军进行作战。

熟悉的莫辛纳甘步枪又回到费奥多的手上，硝烟味又开始充斥着费奥多，尽管他已经是个战场老手，却没办法保护自己的兄长，眼睁睁地看着兄长被德军炮火吞噬。费奥多也在这一次的炮击中受伤，不过兄长的阵亡却成为他努力康复的意志力。

费奥多伤愈后被分配到第259狙击步兵旅，第259旅跟其他狙击步兵旅一样，都承受相当大的伤亡，以及尚未建立起足够的经验与自信的单位。不过第259旅倒是有个高手，也是坐稳苏联狙击手排行榜第二把交椅的瓦西里·科瓦强褆拉泽，他的总战绩是击杀534人；费奥多担任瓦西里的射击小组伙伴，常常以瓦西里的成绩激励自己。

稍后费奥多又被分配到第234狙击步兵旅，当他在明斯克市郊作战的时候，遭到德军炮击，并且伤势比上一次严重，送往医院急救治疗，最后是在病床上听到二战结束的消息。一直到费奥多受重伤送往医院之前，费奥多的确定有效击杀数为429人。

3. 退役

费奥多回到故乡后，除了一身的旧伤之外，什么也没有，尽管费奥多曾经在卫国战争中大显身手，但是很快费奥多的生活就陷入了困境，费奥多不得不以身为苏联陆军中屈指可数的战功为依据，向苏共中央委员会提出申诉。但是送出去的申诉信件都如石沉大海，原因是身为雅库特人的他并没有挤入苏维埃英雄的名额当中，因为雅库特族的名额只限定两位。

费奥多就在这困苦与潦倒中度过了20年。一直到1965年，卫国战争二十周年纪念，费奥多的名字突然又被想起，苏共总书记布里兹涅夫将苏联英雄勋章以及列宁勋章颁发给费奥多，并且恢复了费奥多被遗忘20年的荣耀与名声。

不过三年后，费奥多在平静中走完他曾经壮烈与不凡的一生，享年60岁。

4. 附记

费奥多并不是入伍之后就担任狙击手的，他最早担任机枪手，后来又担任冲锋枪班长，最后才担任发挥所长的狙击手。费奥多在战争中一共负伤12次，一直到1944年6月在明斯克市再一次受重伤才退出前线。429人是费奥多的官方确认有效击杀数据，不过部队中盛传费奥多早已拥有破千人大关的纪录。

费奥多享有"绝无疏失的班长"之美誉。卫国战争二十周年纪念活动不是费奥多第一次上版面，早在战争烽火四处窜烧时，上到当时苏联国防部长的报告，下至新闻报道、前线战报，官兵们闲聊的内容中都有费奥多的名字。1974年，有一艘商船以他的名字命名为费奥多·玛维耶维奇·欧克洛普科夫号。

芬兰狙击手西蒙·海耶

1. 简介

西蒙·海耶（1905年12月17日～2002年4月1日），1939～1940年的苏芬战争中，他在不到四个月的时间里，就用芬兰版的莫辛纳甘狙击步枪射杀了505名苏军，一举成为世界上狙杀敌人最多的狙击手。

西蒙·海耶带领他的狙击小组，身着白色伪装服，穿梭于荒郊野外，隐蔽

西蒙·海耶

在丛林深处，不断射杀行进中的苏军士兵，给他们造成了极大的威胁。由于当时的苏联红军士兵身穿棕褐色制服，在白色的雪地中辛苦跋涉的他们成了西蒙·海耶最明显的目标。正是由于西蒙·海耶给苏军造成了巨大的伤亡，苏军士兵都惊恐地称他为"白色死神"。

据说西蒙·海耶还是一位不用瞄准镜的神射手。他认为狙击枪自带的铁准星是上帝赐予的最好的瞄准工具，因为在雪地中，一半的狙击枪瞄准镜会被太阳光反射，反而会暴露自己。更令人吃惊的是他那张神奇的脸，这张脸在1940年3月6日与苏军战斗中同样被一名狙击手用达姆弹击中，但是他竟然奇迹般地活了下来，并成功地退出了战斗，后来进行面部再造手术右边的脸近乎变形。西蒙·海耶于2002年去世，享年97岁，他也是世界著名狙击手中最长寿的人。

2. 历史背景

1938年4月纳粹德国入侵奥地利后，苏联多次以维护西北边界和列宁格勒的安全为由，要求同芬兰交换领土和租借军事基地，1939年11月9日双方谈判彻底破裂。11月28日，苏联宣布芬军在边境挑衅，决定单方面废除1932年缔结的《苏芬互不侵犯条约》，次日中断了两国外交关系。于是在二战正式打响之前，苏联向着只有400多万人口的小国芬兰发动突然袭击。苏军以20个师（45万人）、2000辆战车和1000余架作战飞机开始向芬兰发起全线进攻，宣布在其占领区泰里约基成立了以O.B.库西宁为首的芬兰民主政府，声称红军是应政府要求越过边界的。芬军在力量对比不利的情况下，凭借曼纳海姆防线的坚固工事，利用严寒和沼泽森林的有利地形，展开反击战、阵地战和消耗性围歼战，因此苏军除在北冰洋的贝柴摩和萨拉地区进展较快外，在卡累利阿地峡和拉多加湖一带伤亡较大，对芬军主阵地久攻不克。

1940年1月，苏军重新组织攻势，总兵力增加到46个师，于2月11日以密集火力和重型坦克在地峡发动总攻，空军对芬后方城市和交通线进行了轰炸，14日突破曼纳海姆防线，芬军于2月26日退守维堡一线。战争一直延续到3月，苏联面对芬军顽强的抵抗，不得不抛弃库西宁政府，芬兰政府也因弹尽粮绝只得接受苏联的媾和条件。3月13日两国经瑞典调停在莫斯科签订了和平协定，芬兰将其东南部包括维堡（芬兰第三大城市，重要工业中心和塞马运河出海口）在内的卡累利阿地峡、萨拉地区和芬兰湾的大部分岛屿割让给苏联，并把汉科港租给苏联30年。由于整个战争是在冬季严寒中进行的，史学家称之为"冬季战争"。

也就是在这场战争中，狙击手第一次被人们所重视，芬兰这个小国面对强大的敌人采取的"Motti战术"非常奏效。这种战术采取四处埋伏、突然袭击的办法，将敌军整个部队割裂开来，形成小的包围圈，切断敌军和其他部队的一切通信联系，接着集中力量消灭敌方的指挥中枢。芬兰人非常懂得利用地形地貌等自然条件，以小股步兵兵力实施机动作战并善于伪装，使苏军遭受了重大损失。他们以两人为一组，一人为射手，一人为观察员，主要袭击敌指挥官、通信员、观察员和侦察员，有时也在发现撤退的苏军小部队后，偷袭他们的前哨或后卫。当时向苏军发起突然袭击的芬兰士兵用的就是仿苏联的莫辛纳甘。

3. 狙击生涯

西蒙·海耶（Simo Hayha）出生于一个名为Rautjarvi的小镇，1925年加入军队，在冬季战争中开始他的狙击手生涯。他在摄氏零下20～40度的环境，身穿全白迷彩装，狙杀苏军。

除此之外，他用冲锋枪也消灭了近200人，所使用的是M-31SMG。也因此将他的杀敌数提升到705人。这是在他受伤前100天内所缔造出来的惊人

老年的西蒙·海耶

数目，平均一天杀敌超过5人。由于芬兰的冬天早上时间较短，因此也可以说他在有阳光时每小时狙杀一名敌军。

1939年到1940年冬，脚蹬滑雪板，身披白风衣的芬兰狙击手在大雪封锁了一切道路之时，却可以悄无声息地来去自如。而在白雪和泥泞中挣扎前进的苏军则成了这些人的活靶子。芬兰三五个狙击手经常可以把小股纵队行军的苏军车队全部消灭，而自身毫无伤亡。最恐怖的情形出现在野外宿营的夜晚，曾有苏军在围着篝火取暖时，被躲在黑暗中的芬兰狙击手挨个瞄准射击。而受冻挨饿的苏军战士看着战友一个个倒下竟无动于衷，因为他们对能活到天亮根本

世界著名狙击手

137

西蒙·海耶

就绝望了。

在这场以弱抗强的战争中，芬兰狙击手有着非常卓著的战果。西蒙·海耶是芬兰也是世界最高猎杀纪录542次的保持者。西蒙·海耶作为狙击手参加的是芬兰陆军的滑雪部队，他是专业猎人出身，对于山林的地理环境非常熟悉，身穿白色伪装服，滑着雪橇在大雪封路的荒郊野外来去自如。而在一片雪白的环境下，穿着棕褐色制服、在雪地中辛苦跋涉的苏军士兵则是最明显不过的目标了。西蒙·海耶使用的虽然是莫辛纳甘步枪，却能在700米外狙杀苏军，在苏军士兵中造成极大的恐惧。由于西蒙·海耶在苏芬战争中的突出贡献，他被芬兰人民尊敬地称为"民族英雄"。

英国狙击手

克里斯托弗·莱伊诺兹

狙击手是经常会创造传奇的人，但很少有狙击手能如驻阿富汗英军狙击手克里斯托弗·莱伊诺兹一样，创造了用步枪狙击远在1853米之外的塔利班高官的奇迹。

莱伊诺兹来自英国苏格兰地区，是驻阿富汗英军部队"苏格兰高地军团"的一名狙击手。从进入阿富汗战场之后，莱伊诺兹就显示出了狙击手的高超技能。短短的一个月内，他就狙击了32名阿富汗叛军士兵。

不过这32个人相对那个1853米之外被狙击的人而言，实在微不足道。被射杀的这名塔利班高官绰号姆拉，自从2001年阿富汗战争爆发以来，姆拉策划了多次针对英军和美军部队的袭击行动。为了将姆拉除掉，英军部队曾组织了多次刺杀行动，但每次都被姆拉轻松躲过。2009年8月，在莱伊诺兹狙击掉他的前三天，美国情报机关得知了姆拉在阿富汗赫尔曼德省巴巴吉市现身的情报，英军立即派出莱伊诺兹等狙击手前往姆拉可能出现的地点附近埋伏。

　　莱伊诺兹被分配在巴巴吉市一家商店的屋顶上。在等了三天三夜后，终于等来了姆拉的出现。但莱伊诺兹在瞬间观察后就很难兴奋了，因为他测算出姆拉此时距离他足足有近两公里远，想要准确击中他几乎是"不可能的任务"。受过狙击专业训练的莱伊诺兹明白，在射击距离如此之远的情况下，风速和子弹重力都将改变子弹的轨道，哪怕狙击手稍有偏差，就将"差之毫厘，失之千里"。只要第一枪不中，那么目标就会发现他，第二枪就没有必要再射击了。

　　但莱伊诺兹并不放弃，他开始精确测算射程、风速和子弹轨迹等各种因素。在感觉有80%的成功概率后，他果断而自信地扣动了扳机。子弹出了枪管，在空气中快速飞行，500米、1000米、1500米、1850米、1853米！子弹准确地射入了姆拉的胸部，他当场丧命。

　　几天后，莱伊诺兹向记者回忆了当时的精彩瞬间。莱伊诺兹回忆说："由于巴巴吉市战火不断，我们唯有待在一个大商场里见机行事，并占据了商场屋顶的一个有利位置观察周围的环境。几分钟后，我们就和敌人开始交火，我们一直注视着远处的山谷，而我突然看到了五名塔利班人员正从山谷中走来。我一下子就认出了其中一人就是塔利班首领姆拉，而他还有一支AK47突击步枪作为武器。我通过望远镜看到，当他对着无线电讲话时，其他人就会照着他所说的去做。"

　　莱伊诺兹自此成了英雄。最挑剔的军事专家也承认，从1853米之外准确击中目标简直是个奇迹。莱伊诺兹后来很骄傲地说："我对这一枪感到非常自豪，因为这是阿富汗战场上最长距离的射杀纪录。"

克雷格·哈里森

　　莱伊诺兹的话刚说完不到三个月，他的最长距离的射杀纪录就被人给打破了。打破纪录的人叫克雷格·哈里森，是英国皇家近卫骑兵团下士。

　　2009年11月，克雷格·哈里森使用他的远程狙击步枪L115A3在阿富汗赫尔曼德省狙杀了两名塔利班武装分子。"第一枪击中了一名机枪手的胃部，他直接倒地身亡。"哈里森说，"另外一名武装分子端起枪转过身来时，我射出的第二发子弹击中了他的侧面，他也倒在了地上。"他当时不知道，自己已经创造了一个纪录。

世界著名狙击手

139

后来经过全球定位系统（GPS）测量，哈里森创造的狙杀射程纪录约为2475米，他不仅打破了莱伊诺兹1853米的纪录，还打破了2002年加拿大士兵罗伯·弗隆创造的约2430米的狙杀纪录。

据专家们称，哈里森的精准射击完美至极。"当射距像那样远时，就容易差之毫厘，失之千里。"《终极狙击手》一书的作者、已经退休的美军射击教练约翰·普拉斯特说，"哈里森尽可能地发挥了最高水平。"

哈里森自己承认，完美的天气帮助了他。"没有风，天气温和，能见度高。"而他的狙击目标可能永远都不知道发生了什么。"在那样远的距离，他们甚至看不到狙击手，甚至也听不到枪声。"普拉斯特说。

美国狙击手

卡罗斯·诺曼·海斯卡克

1. 简介

卡罗斯·诺曼·海斯卡克二世为越南战争时期美国海军陆战队枪炮军士，狙击手，于服役期间共击杀93人，非官方击杀统计更达300人以上。

卡罗斯生于阿肯色州盖尔泉，是个乡下长大的孩子，在父母离异后跟着祖母一起生活。卡罗斯小时候经常进行狩猎，主要也是因为贫困而努力贴补家用；他外出打猎的时候常常带着家里的狗，在自己想象的小国度中假装自己是美国陆军游骑兵，在"德国"野外准备猎杀万恶的纳粹分子。说到打猎这回事，小卡罗斯是来真的，或许同龄的孩子还在拉开弹弓却打中自己大拇指的同时，小卡罗斯的耳朵早已习惯父亲从欧洲战场上带回来的步枪枪声。1959年5月20日，卡罗斯终于以17岁的年龄入伍。

卡罗斯所从事的任务以及任务中不寻常的细节造就他成为上个世纪的当代传奇，尤其是他所创立的名声以及他个人对于远距离狙击的心得造就了美国海军陆战队这支对于步枪有非比寻常热爱的部队。他个人的名声也伟大到由M21狙击步枪发展而来的M25狙击步枪也要以他为名，称为"白羽步枪"。

2. 海军陆战队生涯

在卡罗斯奉派到越南之前，"卡罗斯·海斯卡克"是各大射击大奖得主名单上最常见的名字，其中也包括了"温布敦杯"射击大赛；每年8月的前两周，各家好手云集俄亥俄州的派里营，被允许"用各种瞄准具"努力击中1000码外的目标；卡罗斯就是1965年的冠军。但隔年卡罗斯就被派去越南了。

卡罗斯并没有一到越南就在丛林中神出鬼没，而是先当了一段时间的宪兵。在他当宪兵的时候，刚好E.J.兰德上尉正在规划排级狙击手的编制，只要是有纪录公认打靶打得准的海陆队员都会被兰德上尉征召，所以享有温布顿大赛名声的卡罗斯很快就被兰德找到。

如果只以官方数字来做比较的话，卡罗斯比起其他的狙击手而言，并不显得伟大，甚至还有些渺小，但显然事实并非如此，原因就出在官方认定的标准非常严格，在广大正面的战场上，一个狙击手搭配一个观测手，再依照官方要求，以第三方公证人来确认狙击结果。但在越南战场上，第三方的公证人往往不存在，在无法确认的状态下，其实卡罗斯的狙击总数早已突破300人，而部队中相信他击毙总数超过400人者，更是大有人在。

如同西蒙·海耶和瓦西里·扎伊采夫这两个令敌人头痛万分的狙击手，卡罗斯也由于他高超的狙击技术成为北越军队的眼中钉。当时北越方面开出"三万美元"的高价悬赏卡罗斯与兰德上尉的项上人头。在那时，打死一个一般的美军狙击手只能领到8美元的赏金，相比之下更显现卡罗斯不凡的地位。

因为卡罗斯的丛林帽上总是夹着一根白羽毛，"白羽毛狙击手"就此在交战双方的军中不胫而走。北越军队中甚至有一个排狙击手被派出来，务必要击毙这个"戴白羽毛的"，这场狙击战因而变为"战争中的战争"。

令人感动的是在同一个区域出任务的弟兄纷纷在帽子上夹起白羽毛。卡罗斯的弟兄们并非不知道一旦夹上白羽毛，所有任务就会变得更危险也复杂，而是出于对弟兄的支持与对卡罗斯的大名与地位的敬佩，万一卡罗斯真的牺牲，损失不会比一整个单位被全歼少。

卡罗斯生平最漂亮的一次战绩就是准准地从敌人的瞄准镜里打穿然后子弹继续向前飞，再钻进敌人的眼窝之后让敌人爆头而亡。

那一次卡罗斯跟他的观测员约翰·柏克（John

卡罗斯获得的银星勋章

世界著名狙击手

141

Burke）在55高地火力基地周遭的丛林里追踪敌人的狙击手。卡罗斯与约翰蹑手蹑脚地在丛林里走着，突然眼前有一道闪光亮了一下，卡罗斯对着闪光位置就是一枪，而这一枪准准地对着对方的瞄准镜，子弹就这么狠狠地击中了对方，刚刚的闪光就是从这个狙击手的瞄准镜上反射出来的。

卡罗斯事后看了现场后还原了事情的经过，很有可能是因为他与对手都已经进入归零射击的状态，只是刚好卡罗斯领先一两秒开火，不然理论上很有可能两边互相开火一起阵亡。

卡罗斯的白羽毛只有一次取下来过，他第一次被派到越南的时候，参加了一个自愿的狙杀任务，但是他得先爬上好几千米，加上不眠不休，有如毛毛虫般地蠕动才能杀掉一名北越正规军的高级指挥官，任务的细节一直到他登上直升机的路上才获得。

卡罗斯说在他的爬行途中碰上一名敌军士兵而且几乎差一点就踩到他身上，幸好他身上迷彩服的图纹与花样以假乱真，蒙骗过这家伙；在爬行的路上卡罗斯还碰上一条青竹蛇，不知道是谁挡了谁的路，卡罗斯冷静地动也不动直到青竹蛇满意了自己恐吓的行为后离去，卡罗斯也就跟着放弃这个射击位置。

这位北越将军跟大部分人一样，早上起床后出来习惯伸个懒腰，卡罗斯干净利落一枪击中将军的脑袋，这一枪就好像捅到马蜂窝，北越官兵蜂拥而出，像马蜂般愤怒盲目地四处寻找敌人的踪迹，于是卡罗斯又得重新开始自己的爬行之旅。这一趟任务足足让卡罗斯爬了4天3夜，可以说吃足了苦头。

结束这项艰巨的任务后，卡罗斯于1967年调回美国本土。不过他认为前线少不了他，所以于1969年又调回越南，并负责指挥一个排的狙击手。这次再回越南，卡罗斯的战争之旅就此画下了句号。

卡罗斯获得的紫心勋章

一次卡罗斯在溪山基地附近搭乘两栖登陆坦克，结果坦克碰上了敌军的反坦克地雷，在爆炸后坦克很快就陷入火海，然而在卡罗斯至少逃到安全的地点以前，他已经将七个受伤的弟兄从火焰中拉出来，卡罗斯也因此而受到全身面积90%的灼伤，其中有43%是三度灼伤，于是他很快就被后送回德州的布鲁克陆军医疗中心，并且接受了13次植皮手术才捡回一条命。不过卡罗斯的传奇也跟着更换过的新皮肤消失了，他没办法再流利地操作步枪与进行战术动作，事实上他身体有的部位也没办

法再排汗；部队要举荐他获得银星勋章，卡罗斯推辞了，他说在那个节骨眼上只要还没昏过去的人都会做出救人的举动，直到30年后，他才首肯获颁银星勋章。

卡罗斯在一本关于他的书中说道："我喜欢射击，而我也爱打猎，但是我可一点都不享受杀戮，那不过是我的工作。我要是不把那些敌人给了结了，那么咱们那些个穿着陆战队制服的孩子们不就完了？我就是这么认为的。"

3. 卡罗斯用的武器

卡罗斯出任务时主要用的武器是标准狙击步枪，也就是一把温彻斯特M70.30-06口径手动枪机步枪搭配尤那托瞄准镜。如果卡罗斯待在火力基地，他就会以自己特别改装的勃朗宁M2重机枪加装尤那托瞄准镜，安装瞄准镜的托架是卡罗斯自己的发明，这架举世无双的重机枪可以在2500码的距离一枪毙命。

4. 退役

卡罗斯从现役退下来之后，并没有使他闲下来，他忙着成立位于维吉尼亚州匡堤科基地的狙击手学校。战争时期的严重烧伤使卡罗斯不断地发生疼痛，尽管移植的皮肤与新生的皮肤已经愈合，但病痛仍然困扰着卡罗斯，不过却一点也不减他对指导晚辈的热情。

一直到1975年，一种无药可医并且持续恶化的多发性硬化症缠上卡罗斯。在他离服役满20年的55天以前，卡罗斯被迫从他的岗位退休了，也因此失去全额退休金。卡罗斯在长期与硬化症的对抗下，于1999年2月23日在维吉尼亚滩辞世。

5. 影响

卡罗斯的传奇之一是他在1967年时以特制的勃朗宁M2重机枪加装尤那托瞄准镜狙杀一个距离有2286米的目标。这一枪创下20世纪最远击杀目标的纪录。这一枪具有划时代的意义，不只是距离而已，连带0.50 BMG弹药也摇身一变成为专业狙击用弹药选项之一，更不用说目前至少有14款以0.50口径弹药为设计基准的狙击、反器材步枪。一直到35年后，卡罗斯的纪录才在新的技术支持下被打破。加拿大陆军"派翠西亚公主轻步兵团"在阿富汗进行"森蚺作战"，弗隆以TAC-50 0.50口径步枪于2430米的距离一枪击毙一名塔利班武装分子。

直到现在，"枪炮士官长卡罗斯·海斯卡克射击奖"仍然颁发给在射击训

世界著名狙击手

练中达到头等射手成绩的陆战队员，北卡州"勒骏营"其中一个靶场也以"海斯卡克"为名。

2007年3月9日，位于加州圣地亚哥北方16公里的美国海军陆战队米拉玛航空站里面的手枪、步枪复合靶场正式重新命名为"卡罗斯·海斯卡克复合靶场"。

查克·马威尼

1. 简介

查克·马威尼

查克·马威尼1949年出生于美国俄勒冈州，越南战争期间服役于美国海军陆战队，从事狙击手职务。他于服役期间创下的击杀纪录较传奇的卡罗斯·诺曼·海斯卡克超过10人。他被认为是越南战争中美军第一狙击手，他出色的射击技术现在却使他成为全世界警察部门竞相邀请的对象。

查克·马威尼的父亲查尔斯·B·马威尼似乎天生就属于狙击手这个行业，他是二战时期美国陆战队的一名神射手。小马威尼6岁时，就能够使用他的玩具手枪准确射中目标，还能够射中30步以外的花园栅栏上的昆虫。对于一般人来说，看到10米以外的昆虫都已经是十分困难的事情了，更不用说拿枪把它打下来。

2. 狙击生涯

马威尼高中毕业后成为了一名陆战队队员。被选送到了加利福尼亚州彭德尔顿兵营的侦察兵狙击手学校接受培训。在彭德尔顿兵营的一面墙上，写着一句中国的成语：杀一儆百。另外，从这个学校毕业的陆战队队员都会得到一本红色的小册子《狙击手完全手册》。

查克·马威尼

1968年初，18岁的列兵马威尼来到了越南。此时正是越南战争进行到最残酷、最血腥的阶段。

144

马克·森皮克是马威尼在越南服役时所在班的班长，他回忆起马威尼的枪法来，眼中还在闪着亮光："他可以不停地跑半英里，站住后马上射击，还可以随时举枪射击。700码远的人，被他一枪就撂倒了，简直太神奇了！"有一次马威尼在一条河的河岸接连打死了16个对方的士兵。

3. 退役

马威尼回到家乡后成了家，开始在美国农业部国家森林管理处上班，一直到20世纪90年代退休为止。马威尼从来就不大吹大擂自己的当年勇，直到有一天，当年的一位同胞约瑟夫.T.华德出了一本书名为《亲爱的妈妈，一个狙击手眼中的越南》，马威尼的名声才渐渐浮出水面。

随着时间的推移，马威尼对于打猎的看法发生了变化，他说："我真的不想再伤害动物的生命了，我只喜欢与孩子们一起出去走走，他们经常会打下足够多的动物来分享。如果在早些年，我或许会对打猎充满兴趣，但是现在，我只想看看动物，而不想去杀害它们了。"

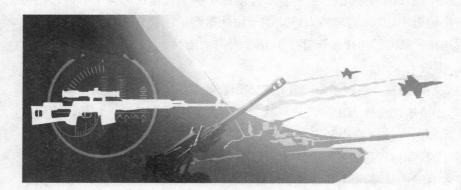

参考文献

[1] 野兵著. 大狙. 北京：新世界出版社，2011.

[2] [美] 沃克尔著. 二战风云：东线狙击手. 小小冰人编译. 昆明：云南科技出版社，2010.

[3] 超侠著，成追忆主编. 使命召唤：狙击手们的战争. 天津：百花文艺出版社，2012.

[4] 铁血图文编著. 致命十字星：狙击武器. 北京：人民邮电出版社，2011.

[5] 李建林著. 狙击手. 北京：金城出版社，2011.

[6] 李晓敏著. 遍地狼烟. 南京：江苏文艺出版社，2011.

[7] [美] 贝尔著. 间谍夫妻. 刘华译. 青岛：青岛出版社，2012.

[8] 姜子钒著. 反恐现场——狙击半条命. 南京：凤凰出版社，2012.

[9] 刘杨编著. 生死对决：战争中的狙击手. 北京：人民邮电出版社，2011.

[10] 陈寒编. 世界狙击手全传——精确与生命的绝地反击. 南京：凤凰出版社，2010.